Celia Bryce

À la vie, à la mort !

Traduit de l'anglais
par Valérie Dayre

Titre original :
ANTHEM FOR JACKSON DAWES
(Première publication : Bloomsbury, Londres, 2013)

Pour
Deanna Hall
1971-1979
et
Vaila Mae Harvey
1991-2008

Jackson Dawes
Si grand qu'il passe pas les portes,
debout
avec son drôle
de vieux chapeau fatigué,
psalmodiant
ses vieux chants
meurtris,
claquant des doigts pour marquer le rythme
– on croit entendre la contrebasse.
Badoum, doum, doum, doum ;
badoum, doum, doum, doum.
Ses hanches balancent doucement,
sa tête dodeline,
il a un grand sourire, aussi généreux
que
le soleil,
à croire qu'on serait
un autre jour, à croire que le monde
pourrait pas mieux se porter,
à croire l'avenir
plus brillant
que
les étoiles.
Megan Bright, Megan Silver... Megan brillante, Megan argentée,
chante-t-il à sa façon à lui.
Megan Bright, Megan Silver...

1

– Maintenant tu sais ce que je pense des hôpitaux, alors tu peux m'appeler à n'importe quelle heure du jour ou de la nuit.

La voix de Papy semblait venir de très loin, à croire qu'il était encore plus vieux qu'en réalité, à croire qu'il se trouvait sur une autre planète et non au téléphone.

C'était le premier jour de Megan à l'hôpital.

– Oui, je sais, dit-elle d'un ton qui se voulait courageux.

Si seulement elle avait pu guérir sans passer par cet endroit.

Elle suivit sa mère qui franchissait la porte à double battant, et se pétrifia.

Service pédiatrique?

Il devait y avoir erreur.

Sauf que non.

Il y avait des mioches et des trucs de mioches partout. Des jouets qu'on malmenait. Un machin qui cliquetait.

Un autre qui carillonnait. Vrombissement. Couinement. Quelque part vers la droite, un bébé pleurait.

Devant, un bambin au volant d'une voiture en plastique obliquait sur la gauche, accompagnant son virage d'un coup de klaxon tonitruant. Un adulte suivait le mouvement, en grande conversation avec une infirmière.

Papy continuait de parler au téléphone. Il lui conseillait de ne pas s'inquiéter. Megan fut incapable de répondre.

Où étaient les autres patients ? Les gens comme elle ? Les gens de son âge ?

Elle n'était pas un bébé, ni une gosse. Elle avait presque quatorze ans !

Pourquoi l'avait-on mise ici ? Comment avait-on pu faire ça ?

Envoyer un message à Gemma. Dès que possible. Gemma aurait une réponse. Voilà à quoi servent les meilleures amies, non ? À t'apaiser, à te rassurer par de sages paroles. Sauf qu'en cas de coup dur le truc de Gemma c'était plutôt te serrer dans ses bras !

Son père appréciait Gemma. Elle ne gaspillait pas sa salive en vaines sentences. Contrairement à d'autres copines de Megan. Les Jumelles, par exemple, qui te débitaient toujours une centaine de mots quand un aurait suffi.

Avec Gemma, ce serait ☺ ou ☹ et la chose serait conclue.

Oui.

Envoyer un texto à Gemma. Elle aurait bien un commentaire à faire sur cette histoire d'unité pédiatrique.

Papy s'efforçait encore de se montrer réconfortant.

– Ils ne me laisseraient pas prendre le car, alors je ne peux pas venir... Mais si quoi que ce soit te chagrine, môme, dis-leur seulement que tu dois m'appeler. Disleur que je suis l'homme le plus âgé du village, ce qui signifie que j'en sais plus que tous les blancs-becs.

Megan se fendit d'un petit rire car elle se doutait que c'était ce qu'il souhaitait, mais Papy n'avait pas terminé :

– En fait, s'ils ont besoin d'un coup de main... pour changer des joints de robinets, donner un coup de clé à un écrou, revisser un siphon, bref, n'importe quels travaux de plomberie...

– Je pense qu'ils ont du personnel pour ça, dit Megan.

Elle s'efforçait de réprimer le tremblement de sa voix. Pas facile. Elle entendait pleurer des bébés. Elle entendait gémir des gamins. L'idée la traversa que l'usage du portable était probablement interdit. Ça pouvait interférer avec des trucs. Comme à bord des avions. Si on la remarquait, elle risquait de se faire confisquer son téléphone. Elle le pressa davantage contre son oreille. Pas question. Pas avant d'avoir eu Gemma. Oh. Dépêche, Papy. Tais-toi. Raccroche.

Mais non. Il continuait à vouloir que tout se passe bien, à essayer d'arranger les choses. Lorsqu'il tenait sa quincaillerie, il était capable de réparer, d'arranger absolument n'importe quoi, Papy.

– Bon, eh bien, tu sais où me trouver...

Sa voix paraissait encore plus lointaine.

– Tout se passera bien, tu verras, aussi sûr que deux et deux font quatre. Allez, au revoir, ma biquette.

Aussi sûr que deux et deux font quatre. Ouais. D'accord.

C'était l'horreur. Totale. Être atteinte du cancer, c'était déjà une mocheté, vu que ça ne guérirait pas tout seul, mais franchement ! un service pédiatrique ?

En plus, l'hôpital était à des kilomètres de la maison. Ce qui obligerait sa mère à se taper des heures de trajet. Elle détestait conduire en ville et, pour couronner le tout, on ne trouvait jamais de place sur le parking.

Ça allait juste être trop, trop difficile tout ça.

– Eh bien, dit sa mère, ça n'a pas l'air mal, hein ?

Megan fit la grimace.

– Ce n'est pas bien non plus.

– Bien sûr... à l'évidence, devoir être ici n'est pas une bonne chose. Pourtant, quand on est souffrant...

– Oui, je sais, mais...

Megan s'interrompit. Mais quoi, exactement ? Elle avait un cancer auquel il fallait régler son compte. Alors, quelle importance que ça grouille de bébés, que ça grouille de petits ?

Sauf que ça lui posait problème.

Oui, pour une raison ou pour une autre, ça *posait problème.*

– Ne t'en fais pas, va.

Sa mère conservait sa bonne humeur, assortie aux

couleurs prétendument gaies qui les cernaient, sur les murs, les plafonds, partout où se posait le regard. Pour elle, rien n'était jamais définitivement dramatique.

– Il va y avoir des tas de choses à raconter à papa quand il téléphonera. Il voudra tout savoir.

Là, sa voix changea, gaieté envolée, trop difficile à retenir éternellement. À l'image des ballons dans les fêtes. Ils finissent toujours par se dégonfler.

– J'aimerais...

Megan devina ce qui allait suivre. Son ventre se contracta comme si elle venait d'avaler une pierre. Elle n'avait pas envie d'entendre ça.

– Papa n'a pas besoin d'être là, fit-elle avec un entrain forcé. Je t'ai, toi. Et j'ai Papy. Tout va bien se passer.

Sa mère soupira.

– Oui, tu nous as, ton grand-père et moi.

Elle eut un petit rire contraint.

– ... Et il a menacé de téléphoner tous les jours. Deux fois par jour si nécessaire. Je plains les infirmières. Il va être sur leur dos, les surveiller de près. Comme s'il connaissait la moindre chose aux hôpitaux... Enfin, à ce genre de structure, en tout cas.

Un bambin aux cheveux bouclés fonça vers elles aussi vite que le lui permettait sa progression sur les fesses. Il était poursuivi par un grand frère tout aussi bouclé qui l'enleva dans ses bras à l'issue d'une courte lutte. Puis apparut la mère, même chevelure bouclée, pommettes rosies, sourcils froncés.

– Vas-y doucement avec lui, Dylan, *s'il te plaît* !

Le bambin gloussa comme devant la chose la plus marrante du monde. Sa mère esquissa un sourire crispé.

– Bienvenue chez les fous, dit-elle en s'emparant de son rejeton qui gigotait de plaisir. Ne te fais pas de souci, ma chérie, ajouta-t-elle avec un regard compatissant pour Megan, nous ne resterons plus très longtemps ici ! Il arrive parfois que l'endroit soit paisible.

– Holà !

Quelque chose déboula sur Megan par-derrière, deux grandes mains se plaquèrent sur ses épaules.

– Désolé !

Le *quelque chose* était un garçon, carrément très grand, habillé d'un T-shirt flottant et d'un jean baggy.

– J'essaie de voir à quelle vitesse on peut propulser ces machins. Recherche scientifique de première importance. À plus !

Il déboîta puis, dépassant Megan et sa mère, reprit son élan avec son pied à perfusion. Quatre poches de liquide pendaient du portique, et des tubes pareils à des spaghettis dégringolaient dans deux boîtes bleues fixées sur le support métallique.

– Oh…, fit la mère de Megan, un peu confuse. Recherche scientifique…

– Ça m'étonnerait, trancha la jeune fille, et je n'ai pas besoin qu'on me brutalise. Il est crétin au dernier degré ou quoi ?

Elle prit le bras de sa mère car elle se sentait un peu étourdie, instable sur ses jambes.

– Oh, non. Le revoilà.

En effet, le garçon avait fait demi-tour et progressait dans leur direction, accompagné par les grincements du pied à perfusion.

– Hé, dis, *tu n'es pas* un bébé ! Tu es normale ! lança-t-il avec un large sourire.

Quoi ? Il s'attendait à croiser un Martien ?

– Dis bonjour, chérie, chuchota sa mère, appuyant son injonction d'une légère pression du coude. Pourquoi te montrer impolie ?

– Il vient de me bousculer. C'est lui, le malpoli.

Le garçon l'examinait comme s'il n'avait encore jamais vu de fille. Ou comme s'il en avait vu à la pelle et savait pertinemment où poser les yeux. La mine renfrognée, Megan croisa les bras, regrettant de ne pas avoir mis un haut moins moulant.

– Nous sommes nouvelles ici, dit sa mère d'un ton pétillant. On ne sait pas trop où on va... On nous a seulement indiqué... par là !

Elle passa le bras autour des épaules de Megan et la serra contre elle, on se serait cru le jour du départ en colo.

Megan se dégagea et détailla le garçon. Il était si grand qu'il devait à peine passer les portes, et coiffé d'un chapeau incliné sur le visage façon film de gangsters. Ses yeux roulaient dans leurs orbites. Il se moquait d'elle. Sans doute n'était-il même pas dans ce service, il venait seulement pour rigoler. Tant mieux pour lui.

Il s'apprêtait à dire quelque chose lorsque deux

petites filles apparurent dans le couloir, bras dessus bras dessous, têtes proches, l'air d'échanger des secrets hilarants. Elles s'immobilisèrent, le regard étincelant, pour fixer d'abord le garçon, ensuite Megan.

– Jackson, fit l'une, la voix haut perchée, tout émoustillée, tu as une nouvelle copine ?

L'adolescent secoua la tête avec désapprobation.

– Becky, Becky, Becky ! dit-il. D'abord, tope là.

Leurs deux paumes claquèrent l'une contre l'autre.

– C'est qui avec toi ? reprit-il.

– Laura.

– Salut, Laura. Tape-m'en cinq aussi. Y en a pour tout le monde, pas de rupture de stock.

De nouveaux rires coururent dans le couloir.

Il jouait avec des gamines de *neuf ans* ? Il avait, quoi, seize ou dix-sept ans, et il s'amusait avec des gosses de *neuf balais* ? Megan voulut ôter une bouloche de sa manche mais n'y parvint pas. Sa mère souriait tellement que ses pommettes ressemblaient à deux billes vermillon.

Il était temps de se poser. Des infirmières devaient les attendre, ou un médecin. Il fallait signaler leur arrivée... Au lieu de quoi elles restaient plantées dans ce couloir, au pays du dessin animé, avec *lui* debout au beau milieu, la vedette du spectacle.

Megan s'appuya contre le mur, telle une ombre.

De nouveaux rires fusèrent derrière les menottes pressées contre les bouches. Le garçon abaissait vers les gamines le regard sévère d'un surveillant et celles-ci le considéraient en retour avec un air d'expectative ravi, comme s'il s'agissait de la énième répétition d'une même scène, chacun connaissant la suite. Un jeu, une comédie, une vaste rigolade.

– Dis, Jackson, tu nous racontes une histoire qui fait peur? Ça ferait plaisir à Laura. Tu veux bien?

Megan leva les yeux au ciel.

– Pas maintenant. File, Becky, ton frère doit t'attendre. T'es venue lui rendre visite, non?

Les fillettes se regardèrent comme si la mémoire leur revenait subitement.

– Oups! D'accord. À plus tard!

Elles s'éloignèrent en trottinant, dans un éclat de rire. Jackson secoua la tête puis reporta son attention sur Megan. Celle-ci regarda de l'autre côté.

– Tu as un vrai fan-club! commenta sa mère, presque aussi réjouie que les gamines, à croire qu'elle voulait faire partie de la bande.

– On dirait bien, rétorqua le garçon, riant lui aussi.

Megan enfonça les mains dans ses poches et s'abîma dans la contemplation d'une image accrochée au mur. C'était un éléphant grassouillet. En train de voler. Ses ongles de pied étaient vernis en rose.

Elle sentit qu'on lui tapotait l'épaule. C'était le garçon.

– C'est quoi ton nom? demanda-t-il.

Megan lui fit face mais ne répondit pas.

– Oooh, elle a perdu sa langue brusquement. Elle s'appelle Megan et je suis sa mère. Tape-m'en cinq, Jackson!

– Maman ! Il ne serait pas temps d'y aller... ? Faut sûrement signer un truc...

– Oui...

Sa mère continuait de sourire et de contempler Jackson.

– Faut qu'ils sachent que je suis arrivée, non ?

Qu'est-ce qu'il avait, ce type, pour rendre tout le monde parfaitement guimauve ?

Un mouvement dans le couloir les fit se retourner.

– Oh oh ! Mme Brewster, l'infirmière chef...

La femme qui venait vers eux était grande, imposante ; ses cheveux semblables à du fil de fer, gris et coupés court, lui donnaient un air de directrice d'école. Elle portait sous le bras un paquet de dossiers. Elle s'arrêta et posa des yeux d'un bleu étonnant sur un Jackson soudainement réduit au silence. Réprimant un rire, Megan reporta son attention sur l'éléphant aux ongles roses. La star ne la ramenait plus.

– Jackson... laisse au moins mademoiselle s'installer. Elle n'a même pas eu le temps de souffler !

Megan devina que Mme Brewster n'était pas du genre à se laisser embobiner. Manifestement, Jackson le savait. Vaguement penaud, il ôta son chapeau et mima une révérence. Il était complètement chauve. La mère de Megan en resta bouche bée.

– Astiqué de ce matin en l'honneur de votre arrivée, plaisanta-t-il en remettant son couvre-chef.

– C'est ça. Merci, Jackson. Le show est terminé,

commenta l'infirmière chef en s'écartant pour lui laisser le passage. Tu as une visite.

Jackson les gratifia toutes trois d'un large sourire.

– Alors... au revoir mesdames !

Et il partit à grands pas élastiques, balançant des hanches, ses longues jambes prêtes à bondir, son pied à perf bringuebalant bruyamment à côté de lui.

Mme Brewster hocha la tête et poussa un soupir.

– Il manque cruellement de compagnie depuis qu'il est ici.

Tandis qu'il s'éloignait, une porte s'ouvrit pour livrer passage à une femme boulotte de petite taille, enveloppée dans un épais manteau jaune, coiffée d'un chapeau noir orné d'une plume, et qui arborait une expression des plus menaçantes.

– Jackson? appela-t-elle d'une voix puissante et rocailleuse, les poings sur ses hanches. Que je te reprenne, mon gars, à faire du grabuge comme un petit voyou...

Jackson s'arrêta et se retourna vers Megan.

– Je te présente ma mère..., fit-il. Je ne sais pas comment elle fait ça. Se pointer pile au mauvais moment. Comment elle fait?

Megan eut un haussement d'épaules pas-la-moindre-idée. *Bien fait pour toi, gros malin.*

– Tu ne peux même pas laisser une pauvre fille trouver sa chambre sans te mettre en travers de son chemin. Viens ici immédiatement.

– D'accord, c'est bon !

Plantée sur le seuil de la chambre, la mère de Jackson attendit qu'il y entre et lui emboîta le pas.

– *Ce garçon*, souffla la mère de Megan, est d'une beauté absolue. On dirait une statue d'ébène. Et ce sourire... qui ne s'efface jamais. N'est-il pas charmant...?

– Ce garçon, fit en écho Mme Brewster, aurait besoin de compagnie, et je crois bien qu'il en a trouvé une.

Elle fixa sur Megan un regard éloquent.

Pas question, pensa Megan. *Pas. Question.*

Megan n'avait pas aimé sa visite chez le spécialiste. Ça se passait dans le service des consultations externes et c'était là qu'on lui avait annoncé qu'elle était atteinte d'un cancer. Le lieu ne ressemblait pas au cabinet d'un vrai médecin. Son *docteur à elle* avait des photos de ses enfants sur les murs. Trois garçons, du même âge. Il les appelait « le triple cauchemar ».

Il avait de drôles de petits jouets sur son bureau pour distraire les très jeunes patients. Elle se rappelait être allée là-bas quand elle était toute petite ; elle se rappelait le singe minuscule qui crapahutait sur le stéthoscope – ou qui l'aurait fait s'il avait été vivant. Elle se rappelait avoir pensé que c'était le plus gentil docteur du monde. Sur le mur au-dessus de la table d'examen, il avait affiché une gigantesque photographie représentant des montagnes couvertes de neige, peut-être une station de ski. On aurait dit qu'il était toujours sur le point de partir en vacances, son docteur à elle. Enjoué, jamais à court de blagues.

Le spécialiste, lui, était tout bonnement sinistre. Il portait des verres de lunettes en demi-lunes et quand il souriait, ce qui n'était pas fréquent, il ressemblait à une grenouille. Les murs de son cabinet étaient nus et il y avait trop de portes. Il était assisté d'une infirmière dont la bouche paraissait trop petite pour le visage. Elle entra par l'une des portes avec une pile de dossiers qu'elle déposa sur le bureau, puis disparut par une autre porte. Megan n'avait aucune idée d'où conduisaient ces portes. Elle-même était arrivée d'une salle d'attente à « accès interdit sans autorisation », en passant par l'entrée des *enfants malades*. Chaque individu qui passait cette porte était censé souffrir d'une maladie, qu'il en ressente ou non les effets.

Peut-être était-ce pour toutes ces raisons que Megan fut prise d'un rire irrépressible quand le médecin annonça qu'elle était atteinte d'une tumeur et que cette tumeur était cancéreuse. Il s'agissait d'une erreur, évidemment. Pour commencer, elle ne se sentait pas malade.

Elle regarda ses parents pour voir s'ils saisissaient eux aussi qu'il y avait erreur, mais ils ne soufflèrent mot, sagement assis côte à côte, pareils à ces trucs qu'avait Papy pour empêcher les livres de tomber. Des serre-livres, ça s'appelait.

Elle n'était pas malade, elle avait seulement des vertiges de temps en temps. Elle se sentait un rien chancelante. Quel rapport avec un cancer ? C'était débile. Elle allait rentrer à la maison et oublier tout ça. Tranquille.

D'ailleurs, que savait ce monsieur?

Le spécialiste tripota son stylo jusqu'à ce qu'elle ait fini de rire, mais alors qu'il s'apprêtait à ouvrir la bouche, Megan se mit à le bombarder de questions, comme si elle les avait stockées durant des semaines et devait maintenant les lâcher toutes à la fois. Elle ne laissait même pas le temps des réponses. Pourrait-elle encore jouer au foot? Et aller à la patinoire? Pourrait-elle encore aller au ciné avec ses copines? Pourrait-elle faire des courses? Et l'école? La tumeur allait-elle partir d'elle-même? Et comment était-elle venue?

Le flot de questions finit par se tarir. Toute cette agitation avait fatigué Megan. Elle se tassa sur son siège, ne trouvant rien d'autre à dire ou à faire.

Elle remarqua l'attention concentrée que le spécialiste portait à son sous-main.

Elle remarqua l'immobilité étonnante de ses parents, deux statues, leur façon de se tenir la main.

– J'ai conscience que c'est un choc d'entendre ça, énonça enfin le cancérologue, et je regrette sincèrement que les nouvelles ne soient pas meilleures.

Il feuilleta un dossier qui devait être celui de Megan. Il y avait un paquet de pages. Un paquet de résultats d'analyses.

– Mais maintenant que nous savons avec certitude, nous pouvons réfléchir au moyen de te soigner.

Soigner, ça veut dire aussi choyer, dorloter... J'aurai droit à du chocolat? de la glace? des vêtements neufs? Laisse tomber.

– Je pense qu'on va essayer un peu de chimiothérapie, qui devrait faciliter l'ablation... Il sera plus facile de l'enlever.

– Comment vous faites ça ? questionna Megan, l'esprit vide. Comment vous enlevez une tumeur ?

Le spécialiste parut décontenancé.

– On pratique une opération.

– Vous voulez dire que vous allez m'ouvrir la tête ?

– Oui, Megan. C'est précisément ce que je veux dire.

Mais pourquoi, puisqu'elle ne se sentait pas malade ? Pourquoi Monsieur Grenouille n'ouvrait-il pas son propre crâne, histoire de vérifier qu'il y avait bien une cervelle dedans ? Parce qu'on pouvait franchement en douter vu qu'il avait faux sur toute la ligne. Il devait confondre avec un autre patient. La crétine d'infirmière à petite bouche avait dû lui donner le mauvais dossier. Il existait probablement une autre Megan Bright. Voilà l'explication.

Tranquille. On. Se. Calme. Pourtant, elle se mit à trembler. Il ne faisait pas froid dans la pièce mais elle frissonnait de la tête aux pieds. Quelqu'un lui prit la main. C'était son père. Il fallut qu'elle vérifie car tout semblait très bizarre à présent. Elle se faisait l'effet d'une étrangère, une personne qui ne comprend pas ce qui se dit autour d'elle, qui ferait n'importe quoi pour entendre une parole familière.

Le spécialiste lui adressa son sourire grenouille.

– ... Nous pouvons nous montrer très optimistes quant à ton traitement, Megan. Je veux que tu le saches.

Ouais. Super. Autant agiter une baguette magique.

– Donc... une opération ?

C'était sa mère, qui tortillait son mouchoir entre ses doigts – un petit carré ourlé de dentelle, avec un trèfle vert cousu dans un coin. À l'entendre, on aurait dit qu'elle venait d'atterrir dans la pièce, tombée d'une autre planète, et qu'elle ne comprenait à peu près rien.

– Quand ? interrogea Megan.

– À ce stade, impossible de le prévoir, répondit le spécialiste. En attendant, tu vas devoir être hospitalisée dès que nous t'aurons trouvé un lit.

Il referma le dossier de Megan. Leur signifiait-il ainsi qu'ils devaient partir ?

Personne ne bougea. Chacun attendait la suite.

Pour finir, son père toussota et pressa la main de Megan.

– Qu'en penses-tu ? demanda-t-il.

Elle pensait que c'était n'importe quoi.

La valise rose fuchsia évoquait une de ces fleurs qui poussent dans le désert après la pluie. Mme Bright en sortait les affaires qu'elle rangeait avec sa minutie habituelle. Les vêtements étaient proprement pliés et disposés dans le placard avec un soin méticuleux, comme si leur emplacement revêtait une importance capitale.

Debout près du lit, Megan aurait voulu qu'elle s'arrête. *Ne fais pas ça*, brûlait-elle de dire. *C'est moi qui m'en occuperai, à ma façon, quand j'en aurai envie. Ce sont mes affaires.* Les mots restaient coincés dans sa gorge.

Enfin, chaque chose fut en place, le placard plein de fragments de la vie de Megan, le tout ordonné et dissimulé derrière les portes. Les pommettes rougies, sa mère promena le regard dans la chambre, soit pour graver les lieux dans sa mémoire, soit parce que, condamnée au désœuvrement, elle se demandait que faire ou que dire ensuite.

– Si seulement ton père était à la maison, lâcha-t-elle tout à trac. Il voulait venir, être ici avec toi.

Ce fut la goutte d'eau qui fait déborder le vase.

– Non ! explosa Megan. Il a son travail et c'est trop loin. Il téléphonera, il enverra des mails. Tu peux les imprimer. Je ne *veux* pas qu'il vienne.

Se rendant compte qu'elle criait, elle s'interrompit et regarda la pièce avec dégoût.

– Y a même pas un ordinateur ici.

Respire, profondément. Du calme, pas le moment de craquer.

Mais tandis qu'elle s'efforçait d'inspirer et d'expirer, ses forces l'abandonnèrent ; elle se sentit vidée. Même ses yeux avaient du mal à rester ouverts, trop pleins, trop lourds. Elle aurait voulu que son père soit là, elle le voulait à en avoir mal, mais il ne devait pas venir. Elle le lui avait fait promettre. Croix de bois, croix de fer. Il s'y tiendrait. C'était normal, il travaillait à l'étranger ; il revenait pour ses congés, quand c'était son tour, et ça aussi c'était normal.

Il ne devait rien modifier.

Ainsi, *de cette façon*, elle se rétablirait.

– Ça va, reprit-elle d'une voix apaisée. Il n'a pas besoin d'être là. Et toi non plus.

Une infirmière irlandaise du nom de Siobhan vint s'assurer que tout se passait bien. Ce n'était pas le cas, pas vraiment, mais enfin, après une tasse de thé et un petit surplus d'agitation, sa mère annonça qu'elle envisageait de rentrer à la maison pour quelques heures.

– Vous pouvez rester, dit Siobhan. Il y a un lit d'appoint.

Elle désignait le lit pliant calé contre le mur à côté de celui de Megan ; il avait l'allure douloureuse d'une aile brisée.

– Beaucoup de parents le font, ajouta-t-elle.

Oui, si j'étais petite, pensa Megan, *si j'étais un* bébé.

– Demain, maman. Reviens demain. Ça va aller. Franchement.

Elle surprit un échange de regards entre l'infirmière et sa mère, qui suggérait que celle-ci pouvait rester pendant qu'on lui faisait une prise de sang.

– Ils vont commencer ton traitement, dit sa mère avant d'échanger un nouveau regard avec l'infirmière. Je devrais rester.

Megan se contenta de les regarder et de secouer la tête.

– D'accord, conclut Mme Bright. Je te laisse jusqu'à demain. Mais je reviens, sois-en sûre. Et téléphone si tu veux que je sois là plus tôt. N'importe quelle heure, à ta guise.

Enfin elle allait partir, toujours agitée, toujours à son corps défendant.

– Pourquoi ne pas parler avec ce garçon, ma chérie ? Il doit tout connaître du service. Vous pourriez être amis.

– J'ai des amis, ça va.

À peine sa mère partie, Megan vida le placard et disposa le contenu sur le lit afin de s'en entourer. Elle avait l'air d'un hamster au milieu de son nid. C'étaient ses effets personnels, rien qu'à elle, des lettres de son père, du maquillage, des sous-vêtements. Tout. Elle voulait les conserver encore un peu auprès d'elle, les sentir, respirer ces petits fragments de son univers. La seule chose qui lui disait qui elle était.

Elle regarda le lavabo, l'étagère au-dessus, la poubelle au-dessous, le lit hérissé de leviers et de pédales, la télé au bout de son support articulé, le tableau blanc portant un nom inscrit en grosses lettres bleues. Son nom. Pour une raison obscure, ça la surprit.

2

– Alors, Megan Bright... (Jackson venait de déchiffrer son nom depuis le seuil), on s'ennuie déjà de son chez-soi ?

– Non.

Megan rassembla ses affaires en un tas approximatif et, afin de cacher l'ensemble, jeta sa robe de chambre par-dessus. Le vêtement étant vert, le lit prit un air de colline herbue. L'image avait quelque chose de satisfaisant – elle y puisa un peu de réconfort. C'était sa colline à elle et elle seule avait le droit d'y grimper ou d'y creuser, personne d'autre.

– Je peux entrer ? Je viens juste de me faire recharger.

Jackson indiqua la plus grosse poche de perfusion qui pendait de son pied à sérum.

Megan détacha les yeux de son visage rieur pour contempler la colline verdoyante sur son lit ; elle tapota, lissa quelques plis.

– Alors, je peux ? insista Jackson appuyé au chambranle.

– Je t'aurais cru trop vieux pour le service des bébés, avec ta recherche scientifique de première importance et tout.

– Excuse, j'ai pas voulu te bousculer, mais on s'ennuie grave, ça prend la tête. Booster estime que…

– *Qui ça ?*

– L'infirmière chef, Mme Brewster. Elle dit que tant que je ne t'embête pas, c'est OK si je passe dire un petit bonjour, vu qu'on est les seuls *adolescents* dans tout le vaste monde.

Il accompagna sa tirade d'un grand geste théâtral.

Megan jouait machinalement avec la ceinture de sa robe de chambre.

– Sérieux. Ce service est le monde. Et on est les plus vieux. Sauf qu'ils ne nous considèrent pas comme ça. Tu as besoin d'une *autorisation parentale* pour sortir. Tu vas pas me croire. Rien qu'aller à la boutique !

Jackson se laissa choir dans le fauteuil proche du lit et s'y cala. Tout en jambes, il semblait presque trop grand pour la pièce, un oiseau prisonnier dans une cage trop petite. Il promena le regard sur la colline verte puis le reporta sur Megan.

– Ajoute le travail scolaire obligatoire. C'est sans espoir.

Il s'interrompit un instant.

– J'ai déjà trop parlé, hein ?

Sans répondre, Megan glissa les mains vers l'empilement de ses possessions ; elle avait envie de les serrer contre elle, de les protéger, de ne plus les lâcher. Ses yeux commencèrent à picoter.

– T'as quoi là-dessous, au fait ? reprit Jackson en se penchant.

– Touche pas !

Elle tira la colline à elle mais, dans le mouvement, la robe de chambre s'écarta légèrement, révélant des coins d'étoffe, des ourlets satinés, des bribes de lingerie. Megan eut l'impression de se retrouver nue, avec l'autre qui lorgnait ses affaires comme une espèce de pervers.

– Je t'ai dit pas touche.

Elle recouvrit soigneusement l'ensemble. Jackson leva ses mains tout en longs, longs doigts. Il ne souriait plus.

– D'accord ! Je touche à rien, tu vois bien. Booster dit...

– Elle ne t'a pas dit de parader et de la ramener comme si tu étais le maître des lieux, ni d'écraser les gens dans les couloirs, ni de fouiner dans leurs affaires personnelles.

– Elle pensait juste qu'on deviendrait amis.

– Des amis, j'en ai. Merci.

Un long silence s'installa, que Megan ne risquait pas de rompre.

– Tu vas être déçue, dit enfin Jackson. Les amis te lâchent.

– Pas les miennes. Elles vont m'apporter des trucs.

– Elles auront la trouille de choper quelque chose. Elles ne le diront pas mais elles te regarderont comme si tu tombais en morceaux et que la même chose risque de leur arriver si elles s'approchent trop. Tu verras.

Typiquement garçon. *Ses amis* étaient peut-être ainsi, mais pas ses amies à elles.

– Tu causes sans savoir.

Jackson s'allongea à moitié dans le fauteuil, l'air de signifier qu'il en connaissait quand même un rayon, en particulier sur ses *amies à elle*. Il croisa les jambes, les décroisa. Deux croissants de peau satinée se dessinèrent à travers les déchirures effilochées de son jean.

Megan s'empara du coin de sa robe de chambre, le lâcha.

Ses amies viendraient.

– Trop de travail scolaire, reprit Jackson. Trop de trucs à faire. Trop crevés. Z'habitent trop loin. Les répètes. Je connais tous les prétextes.

– *Les répètes?* demanda Megan en le regardant.

Jackson examina ses doigts durant quelques instants.

– On avait formé un groupe de musique, mes potes et moi. Et comme ils ont continué à répéter, peuvent pas venir me voir. Enfin, c'est leur version.

– Ils répètent sans toi?

– Ben oui, *je* suis ici, *ils* sont là-bas. Point barre.

Il se mit à se mordiller un ongle, la peau autour.

Le silence revint.

Megan abaissa les yeux vers son lit. Elle regrettait d'avoir vidé le placard. Il faudrait des heures pour tout remettre en place.

– Je t'embête, hein?

Du bout de l'index, Jackson releva son chapeau. Megan répondit à sa question par un haussement d'épaules incertain.

– Ça signifie oui ou non?

Il la dévisageait de ses immenses yeux bruns, faisant saillir sa lèvre inférieure à la façon d'un bébé sur le point de pleurer.

Becky et Laura devaient trouver la mimique du dernier comique. Son *fan-club*. Des gamines de neuf ans.

– Mon grand-père doit me téléphoner, dit Megan. Après son thé. Il a quatre-vingt-quinze ans.

Jackson lui jeta un coup d'œil déconcerté.

– C'est très important pour lui, précisa-t-elle avec raideur. Et il va téléphoner.

– OK, message reçu. Je m'en vais.

Jackson quitta son siège et se retrouva près de la porte en un unique mouvement fluide. Il regarda dans le couloir puis se retourna.

– T'as déjà dormi avec une perf?

Megan semblant ne pas saisir, il désigna les poches de sérum qui l'escortaient. Elle répondit par la négative.

– T'inquiète. Tu t'y habitueras.

Quelque chose dans sa voix retint l'attention de Megan. Le rebord de son chapeau masquait ses yeux et la quasi-totalité de son visage. Elle ne distinguait que la courbe de ses lèvres, le dessin de sa mâchoire anguleuse, son long cou, ses doigts légèrement posés sur la porte. Il inclina la tête vers l'arrière et elle put voir l'éclat de ses prunelles.

– Tu t'habitueras à la plupart des choses, dit-il. Même à moi.

Restée seule, Megan détailla la chambre, ses murs, sa propreté et sa fraîcheur étincelantes qui donnaient le sentiment que tout avait été récuré et briqué pour un nouvel occupant. Elle se sentit petite, insignifiante, pas aussi nette et luisante que le décor qui la cernait.

– Je suis là, chuchota-t-elle. Tu ne m'as pas encore remarquée ?

Rien ne remua, rien ne frémit, pas même les rideaux devant la fenêtre ouverte.

Megan regarda la colline verte sur son lit et posa la tête à son sommet, essayant de sentir contre sa joue le contour de ses possessions, sa vie entière en fragments, sous la robe de chambre.

– Tout est prêt pour la mise en route, dit Siobhan.

Elle accrocha la poche transparente qui contenait la chimio, régla le débit en pressant un bouton et vérifia que le goutte-à-goutte démarrait correctement. Il y eut des tas de bips, de petites lumières clignotèrent, et puis le silence se fit.

– Voilà, reprit l'infirmière. Ne reste qu'à attendre que ça fasse effet.

C'était comme de regarder une émission culinaire à la télé, avec le chef qui commente chaque étape, depuis les œufs montés en neige jusqu'à l'ajout de sel et de poivre. *Et voici le résultat, le plat que j'ai préparé au préalable.*

Et c'était plié.

Siobhan se lava les mains au lavabo, tira une serviette en papier du distributeur, se sécha avec puis la jeta dans la poubelle.

– Dans quelques jours, tu rentreras chez toi, et tu reviendras pour la séance suivante... dans trois semaines, probablement.

La maison d'ici quelques jours. Retour au bout de trois semaines. Et entre-temps, quoi?

– Pour l'école et tout ça...? fit Megan. Je vais y retourner quand je serai dehors?

Siobhan nota quelque chose sur un graphique.

– Si tu en as envie. Si tu te sens d'attaque. Certains le font, d'autres non. Ça dépend.

Megan soupira.

– On ne fait pas plus vague comme réponse, je sais, continua Siobhan. Mais tu vois, vous êtes tous différents, les traitements aussi sont différents, leur durée est variable.

À voir son expression, on l'aurait dite confrontée à un problème gravissime.

– Sûr que si tous nos vilains patients pouvaient avoir les mêmes tumeurs au même endroit, ça simplifierait la tâche du corps médical. Tout le monde rentrerait chez soi à l'heure du thé!

Elle secoua son stylo telle une baguette magique.

– Ce ne serait pas extraordinaire?

Megan sourit. Malgré elle.

– Mais si je repars chez moi, qu'est-ce qu'on fait avec ce bidule qui permet de brancher le tuyau?

– Écoute, toi et ce bidule, vous allez devenir si bons copains que tu ne voudras plus t'en séparer. Je ne te raconte pas les parties de rigolade.

Redevenant sérieuse, Siobhan lui tapota le bras.

– Nous laissons tout ça en place, Megan, pour ne pas avoir à te piquer à coups d'aiguilles à tout bout de champ.

– Alors, je ne dois pas le mouiller?

– Si tu parles d'aller nager, non. Mais tu peux prendre une douche.

– Je ne me vois pas jouer au foot, aller aux cours de gym...

– Tant qu'il est bien protégé par du sparadrap, pourquoi pas? L'essentiel est de ne pas tirer dessus d'un coup sec. Ce qui ne risque pas d'arriver, tu feras attention. Pense surtout que ce n'est pas définitif. Seulement pour un temps.

Megan regarda le goutte-à-goutte, la tubulure, le pied métallique.

– Oui, je sais...

Siobhan paraissait sur le point d'ajouter quelque chose quand une présence à la porte détourna son attention.

– Salut, toi, dit-elle en gagnant le seuil de la chambre. Tu vas bien? Où est ta maman?

Il y eut des murmures. Un peu de mouvement.

– Non, pas pour le moment, Sardine. Megan est occupée là tout de suite...

Sardine? C'était un nom, ça?

– ... tu peux sûrement revenir plus tard ? File maintenant, je viens te voir dès que j'ai terminé ici... Non, je suis certaine que Megan sera contente de recevoir ta visite, mais tout à l'heure.

Siobhan souriait quand elle revint dans la chambre.

– Elle est adorable, cette petite. Elle aime Jackson à la folie. Peut-être veut-elle jauger l'adversaire...

Elle souligna son allusion d'un clin d'œil qui agaça Megan.

– Je le lui laisse. Quel âge a-t-elle ?

– Presque sept ans, le pauvre bout de chou. Elle vit quasiment ici.

Siobhan avait entrepris de ranger, avec des gestes rapides et précis qui témoignaient de son professionnalisme. En quelques secondes, elle avait fait place nette ; la chambre retrouva son aspect d'avant – à l'exception du goutte-à-goutte, bien sûr, et de la machine de contrôle avec tous ses chiffres, ses petits bruits et son revêtement bleu.

Megan observa un moment les gouttes translucides qui se formaient à chaque « clic », les regarda grossir et tomber à un rythme régulier, et elle s'estima heureuse que ce ne soit pas pour toujours, de ne pas devoir *vivre quasiment* dans le service.

– Qu'est-ce que vous racontez aux petits pour qu'ils trouvent ça marrant ? Qu'est-ce que vous dites à... Sardine ?

– Ah, les petits..., fit Siobhan avec un sourire. Ils ont droit au traitement spécial. Ils ont droit au conte avec les méchantes cellules et les gentilles cellules et les baguettes magiques et les sorciers, et tout ça est une grande aventure dont ils sont le héros. Comme un dessin animé. Mais pour toi, c'est sans fioritures.

Megan fit tourner le bracelet d'identification qu'elle portait au poignet. Elle avait un numéro pour elle toute seule, qui la rendait unique. Quoique pas si unique que ça.

– On a tous la même chose dans ce service? On a tous un cancer?

– Oui, répondit Siobhan. Chacun de vous.

– On est combien?

– Dix-huit, quand c'est plein. On a un bébé actuellement. Il a six mois, le pauvre petit. Il fait de la peine. Enfin, il devient un peu joyeux quand sa sœur vient le voir. C'est Becky. Je crois que tu l'as rencontrée...

Siobhan se dirigeait vers la porte.

– On est les plus vieux, Jackson et moi?

– En effet. Vous êtes les preux chevaliers.

– Qui combattent les méchantes cellules.

– C'est un bon résumé. Mais tu as de la chance, Megan. Tu peux rentrer chez toi, tu peux même retourner en classe, entre deux traitements.

Le collège. La seule pensée du collège. Ce n'était pas comme l'opération de Frieda à qui on avait enlevé l'appendice et qui montrait sa cicatrice à tout le monde, ou quand Jack Longstaff s'était cassé la jambe et s'était ramené avec son plâtre et ses béquilles. Ça n'avait rien à voir. Quand on était atteint d'un cancer, il n'y avait vraiment pas de quoi frimer.

– Ma mère dit que je ne suis pas obligée. Je peux étudier à la maison.

– Certains font des demi-journées. Ça dépend de chacun. Mais ne te mets pas la pression, inutile de t'en soucier maintenant. Tu dois seulement t'occuper d'aller mieux. D'accord? À plus tard, conclut Siobhan avec un petit signe de la main. Si tu as besoin de quoi que ce soit, appuie sur la sonnette.

Elle sortit.

Megan se laissa aller contre les oreillers. Des demi-journées. Comment pouvait-on espérer garder sa place dans une équipe de foot avec des demi-journées?

– Bon, j'ai un village entier à informer de ce qu'on fait à ma petite-fille à l'hôpital, alors ne lésine pas sur les détails, ma biquette. Mme Lemon est près de moi, elle écoute, comme ça je ne transmettrai pas de fausses informations quand on me demandera.

La voix de Papy était inchangée, vieille et grêle, difficile à décrypter quand on n'avait pas l'habitude. Megan l'imaginait, les deux mains cramponnées au combiné comme si celui-ci risquait de s'envoler. Elle voyait aussi Mme Lemon, son aide à domicile, prête à lui porter secours.

– Je suis trop grande pour le lit, dit-elle.

– Parce que tu es une grande jeune fille. Rien de plus normal.

– Non, parce que les lits sont trop petits. Presque des lits de bébé.

Il n'allait pas comprendre, il aurait fallu qu'il puisse venir et qu'il voie. Comment pouvait-il savoir à quoi ressemblait cet endroit ?

– *Des lits de bébé*, répéta Papy à Mme Lemon.

– Mais au moins, j'ai une chambre pour moi toute seule.

Elle continua de décrire le service, Mme Brewster, les médecins, Siobhan, enfin Jackson, en commençant par le fait qu'il était réellement casse-pieds.

– Et il raconte des histoires de fantômes à des mômes de *neuf* ans ! Sérieux ! Ça te montre bien dans quelle espèce de service j'ai atterri.

Elle en était encore indignée.

– Quel âge a-t-il ?

– Sais pas. Pas encore seize ans, sans doute, sinon il serait chez les adultes.

– Il est gentil ?

Papy semblait soucieux. Pourquoi tout le monde pensait-il qu'elle avait *besoin* de Jackson ? À croire qu'elle n'avait aucun ami.

– Gentil au point d'être collant, si tu veux mon avis. Il n'a pas de cheveux.

Il y eut un petit silence avant que Papy ne réponde.

– Bon, eh bien...

Megan perçut en sourdine la voix de Mme Lemon, qui voulait peut-être savoir de quoi il retournait.

– *Jackson n'a pas de cheveux*, entendit-elle transmettre Papy.

Il se fit un nouveau silence. Puis elle crut comprendre que Mme Lemon demandait qui était Jackson.

– Bon, eh bien..., répéta Papy. Est-ce que ça lui va bien ?

– Maman le trouve super beau.

Comme si ça signifiait quoi que ce soit.

– Oh, bien. C'est une bonne chose.

Un autre silence.

Papy avait dû penser qu'elle répondrait plus longuement, ou alors il était à court de questions, ou encore de réponses à apporter – lui, l'homme qui avait généralement toujours quelque chose à dire sur n'importe quel sujet et en toute circonstance. Le silence s'éternisa. Mme Lemon elle-même restait coite.

– Il y a des éléphants sur les rideaux, reprit enfin Megan. Des éléphants !

– *Elle a des éléphants*, répercuta Papy avec un soulagement manifeste.

Mme Lemon émit un *Oooh, vous m'en direz tant !*

C'était puéril tous ces trucs à la Disney partout où elle posait les yeux, sans parler des infirmières qui arboraient des espèces de tabliers eux aussi décorés de personnages de dessins animés.

– Et il y a des images ridicules partout sur les murs.

– Le mieux pour toi, conseilla Papy, c'est d'ignorer toutes ces sottises et de te rétablir. Tu m'as entendu ?

– Le mieux pour moi est d'ignorer toutes ces sottises et de me rétablir.

– Ah, je reconnais ma brave petite. Rappelle-toi ça

chaque fois que tu es écœurée par les éléphants. Moi-même je serais écœuré par les éléphants : ils laissent des empreintes de pieds dans le beurre.

Megan rit, mais l'instant d'après elle pleurait.

– Allons, allons, je sais que mes blagues sont mauvaises...

– Pires que celles de papa, parvint-elle à répliquer.

– *Pires que celles de son père.*

Un autre silence. Peut-être venait-il à l'esprit de Papy qu'elle trouvait sympa de parler avec lui, mais que ç'aurait été bien, aussi, de parler à son père. Plus que bien.

– Tu l'as eu au téléphone ? Il est arrivé à te joindre ?

Megan ne put répondre. Papy se relança, brusquement très bavard :

– C'est sans doute pas facile d'être coincé là-bas, sur un gisement pétrolier au fin fond de la Russie. Je suppose que les téléphones sont rares. Avec trop de monde qui veut les utiliser. Je ne sais pas au juste, mais je dirais que la superficie du pays y est pour quelque chose.

Même si elle avait pu parler, Megan n'aurait su expliquer pourquoi elle avait fait promettre à son père de ne pas téléphoner durant son séjour à l'hôpital. Sans doute parce qu'il disait toujours combien c'était difficile et compliqué à cause des distances. Elle lui avait donc demandé d'attendre qu'elle soit de retour à la maison. Elle s'en ferait une fête bien à l'avance, avait-elle argué quand il avait essayé de la faire changer d'avis.

– À cause du décalage horaire aussi, c'est dur de tomber aux bonnes heures, dit-elle.

Elle regrettait d'avoir fait promettre quoi que ce soit à son père, elle avait tellement envie d'entendre sa voix, tellement envie de le voir.

– Je me demande quelles espèces d'oiseaux il a là-bas, reprit Papy. J'aurais dû consulter un livre avant son départ, ça m'aurait permis de lui dresser une liste...

Papy et ses listes.

– Voilà ce que tu pourras lui demander quand il t'appellera. Dis-lui que ton grand-père veut savoir ce qu'il a vu. Il faut qu'il trouve des choses intéressantes à faire, pour passer le temps. *Je suis en train de dire qu'il devrait observer les oiseaux.*

Il y eut un murmure en arrière-fond. Megan ne fut pas loin de rire. De l'observation ornithologique, son père disait : autant regarder la peinture sécher. Peut-être Mme Lemon partageait-elle ce point de vue.

– Je le lui dirai, promit-elle.

Un hurlement se fit soudain entendre, comme s'il arrivait une chose terrifiante à un bébé, ensuite un téléphone se mit à sonner, sonner. De l'autre côté de la porte, il y eut des bruits confus de pas précipités, quelques éclats de voix, un rire fusa, après quoi le silence revint.

– Ça ne me plaît pas de me retrouver dans le service pour enfants. J'aurais voulu qu'ils me mettent avec les adultes.

– Tu as tort, fut la réponse du grand-père. Pour côtoyer des vieux décatis, qui passent leur temps à se plaindre et à harceler les infirmières? Je sais de quoi je parle. J'ai été comme ça ! Ha, ha, ha. Je les ai fait tourner en bourrique, crois-moi, même avec mes deux poignets dans le plâtre.

Un nouveau silence s'installa ; peut-être Megan aurait-elle dû rire et lui donner l'occasion de raconter pour la énième fois comment il s'était brisé les poignets au cours d'une soirée de chants et danses folkloriques.

On marmonna encore en arrière-fond.

– *Oui, oui ! Tout de suite...* Mme Lemon demande s'ils t'ont déjà fait quelque chose.

Megan ne sut par où commencer. Ça faisait tant de choses, elle ne se rappelait plus dans quel ordre ça s'était déroulé, tout se mélangeait, avec un moment un peu effrayant.

– On m'a mis une perfusion, dit-elle en regardant la poche, le pied métallique avec ses roulettes, tout cela rattaché à elle désormais, la liant à ce monde dans lequel elle était obligée d'habiter.

– Pour que tu ne te déshydrates pas, sans doute, fit Papy.

À croire qu'elle avait cinq ans et pas bientôt quatorze.

– Pour ma *chimio*, gros bêta.

– Ah, ça. C'est sûrement mieux d'être branché à un tube que d'avoir à boire le remède. Paraîtrait que ça a le goût de pissenlit et de bardane. Tu détesterais. Dans quel bras ?

Ce n'était pas dans le bras. L'extrémité – la fin ou le début, au choix – se trouvait dans sa poitrine, une « chambre implantable » enfouie sous la peau près de la clavicule. Ça s'arrêtait au-dessus du cœur. Le reste du dispositif ondulait comme un serpent minuscule sous un pansement puis ressortait pour pendouiller entre elle et le pied métallique.

– Jackson en a une aussi, reprit Megan. Ça s'appelle un cathéter central ou un truc dans le genre.

Papy parut impressionné. Mme Lemon fut informée : *Cathéter central.*

– Ce qui fait que tu peux te servir de tes deux mains pour te coiffer ou te faire les ongles. Ah, les filles ! Toujours à se pomponner.

Il rit. Megan rit aussi. Elle voulait qu'il pense avoir réussi à l'égayer. Papy se mit alors à tousser, ce qui indiquait que la conversation téléphonique avait été longue au point de lui fatiguer la voix.

– Allons, reprit-il une fois la toux calmée, il est temps de se quitter, ma biquette. Bisou-bonsoir-petit-loir.

Comme si elle était redevenue petite.

– Bisou-bonsoir, souffla-t-elle, se sentant effectivement toute petite.

Elle attendit qu'il raccroche le premier.

Inutile de tout gâcher. Mieux valait ne pas lui dire qu'elle risquait de perdre ses cheveux avec la chimio, qu'un jour elle serait peut-être aussi chauve que Jackson.

3

Gentils contre méchants. Chimio contre cancer. Le combat se déroulait dans ses veines et dans ses artères, assaut général contre cet endroit dans sa tête où le mal s'était déclaré. Megan se demandait si le bien finissait toujours par l'emporter sur le mal, comme dans les films et les contes de fées.

Il était tard, il faisait nuit. Elle aurait dû dormir. Au lieu de cela, elle restait couchée à tendre l'oreille vers l'hôpital, écouter les bruits du service, les sons venus de l'extérieur, le bébé qui semblait avoir pleuré des heures durant dans une chambre plus loin dans le couloir.

La nuit se révélait totalement différente.

Sa porte était entrebâillée. Megan ne voulait pas être complètement isolée, préférant le rai de lumière pâle qui filtrait dans la pièce et en repoussait l'obscurité.

Les voix du personnel soignant lui parvenaient assourdies, audibles cependant car il n'y avait pas la bruyante agitation de la journée pour les brouiller et les confondre. Les couloirs étaient quasiment vides, pas de chariots, pas de fauteuils roulants, pas de bambins qui tentaient de fuir.

Les sonneries de téléphone revenaient régulièrement hanter le silence.

Un curieux bruit de pas étouffé poussa Megan à se redresser pour voir de qui il s'agissait. Elle vit passer une mère épuisée, en pantoufles et robe de chambre. Une demi-heure plus tard, la promeneuse nocturne repassa, hésita à la porte, jeta un coup d'œil dans la chambre.

– Ça va, ma belle ? Besoin d'une infirmière ou de quèque chose ?

Sa voix était si gentille que Megan en eut la gorge serrée et se sentit encore plus seule.

– Non, merci.

– Ta première nuit dans le service, c'est ça ?

– Oui.

– Te fais pas de bile, ça va aller. Tu veux que j't'apporte un chocolat chaud ou aut' chose, ça te ferait du bien ? Moi, je viens d'en boire un. Ce genre d'endroit est pas fait pour t'aider à dormir.

Elle lâcha un petit rire tendu.

– Je vais bien, fit Megan. Merci, en tout cas.

– Au fait, je suis la maman de Sardine.

La femme marqua une pause, visiblement prête à dire autre chose, mais se ravisa.

– Allez, ma belle. Passe une bonne nuit.

– Excusez-moi…, la rappela Megan alors qu'elle s'éloignait.

– Oui, ma belle ?

– C'est son vrai nom ? Sardine ?

– Non, répondit la femme après un silence. Mais c'est le nom qu'elle se donne. Depuis sa maladie. Me demande pas la raison. Et j'ai interdiction de dire son vrai nom à qui que ce soit.

– J'aime bien, commenta Megan.

Le fait de changer de prénom permettait-il d'aller mieux ?

– Bon, c'est ce qu'elle veut tant qu'elle est consignée ici. Tout ce qui peut aider… tu saisis. Allez. Mieux vaut te laisser faire un p'tit dodo. Si t'y arrives. Bonne nuit, ma belle.

Elle s'en alla, le son de ses pas décroissant jusqu'à n'être qu'un chuintement dans le couloir.

Lorsqu'elle entendit le bruit, Megan en crut à peine ses oreilles. Un chat ? Dehors ? Le service se trouvait au dernier étage de l'hôpital, alors quelle sorte de bête avait pu grimper jusque-là ? Une pensée horrifiante lui vint à l'esprit. Peut-être l'animal avait-il escaladé les murs et s'était-il réfugié sur une saillie, à présent paralysé par la peur. Il fallait le secourir. Elle se glissa hors de son lit, se dirigea vers la fenêtre, mais quelque chose lui tira violemment sur la peau.

– Ouille, crétin de machin.

Elle empoigna le pied métallique, tâta sous sa

clavicule le pansement qui tenait tout en place. Rien n'avait bougé, le tuyau était toujours là, mais le sparadrap s'était légèrement soulevé.

– J'ai cru pouvoir t'oublier.

Elle écarta doucement les rideaux pour regarder au-dehors, attentive à ne pas effrayer le chat qui, par un hasard étrange, se trouverait devant sa fenêtre.

Il n'y était pas. Comment cela aurait-il été possible, au onzième étage et sans rebord aux fenêtres ?

Mais alors où était-il ?

Le regard de Megan se porta vers le ciel sans étoiles dont l'obscure monotonie n'était rompue que par quelques vagues nuages de traîne, d'un noir plus affirmé. Au-dessous se succédaient des formes bizarres, rendues presque sinistres par les lampadaires qui diffusaient dans les ténèbres leur halo de lumière avare. C'étaient les toits de vieux bâtiments hérissés de cheminées, d'arêtes, de gouttières, de canalisations ; la partie ancienne de l'hôpital. Une multitude de chats pouvaient vivre là.

Ses parents et elle avaient longé ces bâtiments le jour de sa consultation chez le cancérologue. Ils lui avaient paru ordinaires alors. Des murs en briques rouges. Des toits d'ardoises. Des cheminées. Des tourelles.

Quelques arbres se dressaient au milieu de petits carrés d'herbe ; sur les bancs en bois, des patients en robe de chambre prenaient le soleil. Et fumaient, pour certains d'entre eux. Megan avait trouvé ça un peu dingue, des malades qui fument.

La fois suivante où elle était venue à l'hôpital, elle n'avait pas remarqué grand-chose. Il s'agissait de mettre le cap sur l'aile Saint-Pérégrin, du nom du saint patron des cancéreux – c'était, du moins, ce qu'affirmait la brochure.

La haute tour qui semblait tout en verre se dressait sur le côté de l'ancien service des consultations externes. Ses vitres miroitaient sous le soleil. On ne voyait rien à l'intérieur.

À présent debout à sa fenêtre, Megan songeait à Raiponce. Une fois, à l'école, ils avaient monté une pièce de théâtre à partir de ce conte, une adaptation libre *distanciée*, d'après le professeur d'art dramatique. Il y avait cependant bien une tour, faite d'échafaudages, depuis laquelle Raiponce devait laisser tomber ses cheveux. Il y avait bien un prince pour venir la secourir. Megan œuvrait dans les coulisses. La chevelure devait dévaler depuis le sommet de la tour jusqu'en bas. On l'avait fabriquée avec de la laine jaune. Des centaines de brins de laine, chacun long de quatre mètres, constituaient la perruque de la fille qui jouait le rôle-titre.

Passant les mains dans ses cheveux, Megan se demanda combien de temps elle les conserverait et si elle pourrait un jour les laisser dévaler depuis le sommet d'une tour.

– Qu'est-ce que tu fais ?

Megan s'empressa de refermer les rideaux. Elle se

sentait idiote de rêvasser à des contes de fées et à des chats grimpés au onzième étage.

– Rien, dit-elle.

La silhouette de Jackson se découpait à contre-jour dans l'encadrement de la porte.

– Dis, t'essayais quand même pas de sortir par la fenêtre ? C'est plus facile par la porte et l'ascenseur. Enfin, moi, je fais comme ça. Je peux te filer le code de la porte.

Son ton, sûrement narquois, eut le don d'agacer Megan au plus haut point. Monsieur Je-sais-tout. Sauf qu'il ne savait rien d'elle, et ne saurait jamais rien.

– Je n'avais pas l'intention de sortir.

– Bien. Alors je peux entrer ?

Il était déjà dans les lieux.

– Si je reste à la porte, je vais me faire piquer.

Oh oui, qu'on le surprenne, qu'on l'enferme dans sa chambre, qu'on l'empêche d'embêter tout le monde.

– Tu veux que je ferme ?

– Non.

– C'est toi qui vois. Qu'est-ce que tu fabriquais ?

– Tu es toujours aussi fouinard ?

C'était de ces questions qui ne nécessitent pas de réponse.

– J'ai entendu un chat. Enfin, je crois que c'était un chat.

Ça semblait complètement idiot maintenant.

– Mister Henry, rétorqua Jackson sans rire. Le matou du quartier.

– Très drôle.

– Il limite la prolifération des rats.

Jackson s'assit dans le fauteuil sans attendre d'y être invité. Le rembourrage émit un discret soupir.

– Les rats ici, continua-t-il, sont gros comme des chiens.

– Ça m'étonnerait.

Malgré son scepticisme affiché, Megan jeta un œil par la fenêtre puis retourna sur son lit ; sa plante des pieds picotait à l'idée de rats gros comme des chiens.

– Sais-tu que dans le monde chaque être humain ne se trouve qu'à quelques mètres d'un rat ?

Dans la pénombre de la chambre, il n'était qu'une forme solide, sans traits distincts, mais une forme qui remuait constamment. Ses pieds patinaient sur le sol, ses doigts tapotaient l'accoudoir du fauteuil, à croire qu'il était entièrement fait de ressorts et d'élastiques, ou qu'il avait avalé une cargaison de vitamines.

– Sauf qu'on est au onzième étage, lui rappela Megan.

– Peut-être pas *ici* précisément, admit-il avec un rire sourd. Mais au sol, ils sont juste au-dessous de nous, à grignoter les canalisations et les murs. Ils bouffent tout. Un de ces jours, tout va s'effondrer comme une vieille mine et ils seront là à applaudir de leurs mains minuscules, prêts à venir nous ronger les os. Enfin, ils n'ont pas de mains, pas vraiment. Ce qu'ils...

– T'es complètement timbré, tu sais ça ?

Jackson eut de nouveau un rire puis ce fut le silence,

seulement froissé par le tambourinement de ses doigts sur l'accoudoir en bois.

– Mister Henry fait partie de cet hôpital depuis sa construction.

– Alors ?

– Depuis que la partie *ancienne* de l'hôpital a été construite... tu sais ce que ça signifie...

Ses paroles n'étaient plus qu'un murmure, lent, menaçant.

– Non, mais je suis sûre que tu vas me le dire.

Megan essayait de discerner son visage dans l'obscurité, mais elle ne voyait que ses yeux brillants. Elle bâilla ostensiblement, se rallongea dans le lit, tira drap et couverture jusqu'à son menton.

– ... Figure-toi que tous ces bâtiments doivent avoir des centaines d'années...

– J'écoute pas, l'interrompit Megan, maintenant somnolente. M'en fiche de tes histoires. Si Mister Henry traîne dans le coin depuis si longtemps, il restera bien un jour de plus. Va plutôt raconter ça à Becky et Laura, elles vont adorer tes trucs de chat à flanquer la chair de poule... Tu pourrais l'appeler *Le fantôôôme de Mister Henry*.

Jackson changea de position dans son fauteuil.

– C'est la chimio, fit-il.

– Quoi ?

– Ça te rend mauvaise avec ceux qui essaient d'être gentils avec toi. Ça te fait rire de trucs dont tu ne devrais pas rigoler.

– Un chat fantôme, par exemple ? Ouais, t'as raison.

Jackson ne répliqua pas.

Et vlan ! Elle lui avait coupé le sifflet cette fois ! Megan regretta de ne pas voir la tête qu'il faisait puis, aussitôt, se félicita qu'il fasse nuit. Peut-être croyait-il à ces trucs. Peut-être l'avait-elle vexé. Non. Pas lui. Ce n'était qu'une vaste blague, hein ? Une histoire idiote ?

Néanmoins, le silence se dressait tel un mur entre elle et Jackson.

La porte s'ouvrit en grand. Une infirmière demeura un moment sur le seuil, avant de presser l'interrupteur électrique. La lumière envahit la chambre. Megan ferma les paupières un instant.

– C'est donc là que tu étais, Jackson, dit l'infirmière.

De petite taille, elle avait un air de souris, des yeux alertes et perçants, comme si elle était pourchassée par quelqu'un, quelque chose. Mister Henry, va savoir. À cette pensée, Megan réprima un sourire.

– Je t'ai cherché partout. Il est très tard. Tu devrais être dans ta chambre et pas en train de vagabonder dans les couloirs. Ça donne un mauvais exemple aux petits.

– Je suis juste venu lui tenir compagnie, rétorqua Jackson, la mine amusée. Elle est nouvelle, vous savez.

– Je ne l'ai pas invité, précisa Megan. Il s'est amené comme ça. Il le fait tout le temps.

– Oui, je sais, reprit l'infirmière d'une voix tranchante. Mais n'hésite pas à nous appeler s'il t'ennuie. La sonnette est faite pour ça... Enfin, la prochaine fois tu le sauras. Quant à toi, Jackson, si tu es encore là dans cinq minutes, ce sera notifié dans ton dossier et ça aura des conséquences désagréables. On te mettra une laisse et fini les balades. On pourrait même être obligé de t'attacher sur ton lit.

Sa bouche se plissa dans une sorte de sourire.

– OK, je m'en vais, dit Jackson en se mettant debout.

– Tu fais bien.

Sur ces mots, l'infirmière disparut dans un cliquetis de clés et un couinement de semelles.

– Merci, Jackson, dit Megan. On aurait été mal tous les deux.

Il était près de la porte.

– Ne fais pas attention à elle. Elle est toujours sur mon dos.

Ça, c'était surprenant.

– Tu veux que j'éteigne ? ajouta-t-il. Ou est-ce que je t'ai fichu la trouille avec mes rats et mes chats qui rôdent dans la nuit ?

Il avait repris son ton moqueur.

– Non aux deux questions.

– Alors, à la prochaine.

Il s'en alla, avalé par les ombres du couloir. Megan s'efforça de retrouver une respiration normale ; elle avait le souffle court, comme si elle venait de se taper un cent mètres, comme si Jackson l'avait épuisée par sa seule présence.

Assurée qu'il ne reviendrait pas, elle chercha une position confortable dans le lit, sans grand succès.

Pour finir, elle expédia un coup de poing à l'oreiller qui émit un sifflement asthmatique surpris, puis y appuya de nouveau la tête, les yeux fixés au plafond où luisait froidement le néon. Quelque part à l'autre bout du service, le bébé recommença à pleurer, bêlant tel un agneau égaré.

4

Megan dormit d'un sommeil fragmenté. Il lui semblait que de petits radeaux flottaient autour d'elle ; de temps en temps, elle se hissait sur l'un d'eux et commençait à s'installer. Et là, alors que son corps se détendait, que sa respiration s'apaisait, qu'une sensation de confort s'emparait d'elle, quelque chose venait la perturber, un tiraillement sur la perfusion, un bruit dehors, un assaut de pensées, et le radeau l'abandonnait pour filer sans elle.

Quand vint le matin, avec son cortège de vacarmes caractéristiques – roulement du chariot à médicaments, tintement des plateaux de petit déjeuner, agitation naissante de l'ensemble du service – ne plus avoir à chercher le sommeil lui fut presque un soulagement.

Elle quitta son lit pour aller se brosser les dents, mais cette simple tâche la fatigua au point qu'elle renonça à l'effort de se doucher avec ce goutte-à-goutte idiot, et même à tenter de s'habiller. Se regardant dans le miroir, elle fut consternée par la pâleur de son visage et les cernes qui assombrissaient ses yeux – on aurait dit que quelqu'un avait essayé de les effacer avec une vieille gomme crasseuse. Et ses lèvres étaient complètement sèches. Où était son tube de pommade ?

Quand il arriva, Jackson semblait en pleine forme.

– Alors, ils ne t'ont pas ligoté ? demanda Megan.

Elle regagna son lit qui lui parut autrement plus accueillant que durant la nuit.

– Nan. Ils aiment avoir à se plaindre de quelqu'un. Pas de nouvelles du chat ? ajouta-t-il avec un sourire.

– Non.

Megan bâilla. Elle doutait qu'il y ait jamais eu un matou, un Mister Henry, venu du XIXe siècle, en plus ! Son imagination lui avait joué un tour. Peut-être était-ce un effet de la chimio d'entendre des trucs qui n'existaient pas.

Jackson vaquait à ses affaires dans sa chambre comme s'il avait été chez lui. S'il croyait pouvoir débarquer quand ça lui chantait, il allait voir... D'abord, comment parvenait-il à être si... si joyeux en permanence, si plein d'énergie ?

Un nouveau vacarme retentit à l'extérieur de la chambre, comparable au bruit d'un énorme sèche-cheveux. Il se rapprochait.

– C'est quoi ?

– L'engin qui astique les sols, répondit Jackson. Tu sais, une grosse machine avec une brosse qui tourne, comme les balayeuses qui nettoient les rues. Ils n'ont jamais voulu me laisser la conduire, mais je sais où ils la garent. Manque que le code de la porte...

Elle n'aurait pas dû poser la question.

– Tu veux que je m'en aille? supputa Jackson en souriant. Juré, je ne vais pas trop parler, surtout pas de chats ou de rats. Promis. Dès que tes amies arrivent, je disparais. En les attendant... je peux rester?

Megan essaya de répondre, mais il poursuivit :

– Tu vas faire quoi d'autre? Contempler les murs?

– Dessiner. J'aime bien dessiner. Des gens.

Elle abaissa un regard songeur vers ses mains, redoutant qu'il n'ait raison, après tout, sur ses copines ; elles ne viendraient peut-être pas. Sauf qu'on n'était qu'au deuxième jour. Elles avaient le temps. Et Gemma lui envoyait des textos, des lignes de ☺ afin de la consoler, de lui faire savoir qu'elle ne l'oubliait pas. Les Jumelles, pour leur part, voulaient savoir s'il y avait un beau mec dans les parages.

– Il faut la paix et le silence pour dessiner, reprit-elle avec un regard appuyé vers Jackson. Enfin, j'y arrive quand même.

Son carnet à croquis, un cadeau de Papy, était toujours vierge, les crayons neufs encore inutilisés, jamais sortis de leur pochette, mais *il* n'avait pas besoin de le savoir.

– Je n'ai pas dit un mot depuis au moins cinq secondes, fit remarquer Jackson. J'attends que tu me racontes tout sur toi. Ou alors, je peux te dire tout sur moi. Tu as croisé ma mère (il fit une grimace éloquente). J'ai croisé la tienne. Mais il y a encore un paquet d'autres gens dans une famille. (Nouvelle grimace.) Chez moi, ça se compte par centaines.

Megan réfléchit. Qu'avait-elle à dire? Sa famille était très réduite. Chacun s'était marié tardivement, voilà ce qu'elle savait. Un peu comme on loupe un bus et qu'on attrape le suivant, ou même celui d'après. Papy avait plus de cinquante ans lorsqu'il avait eu son unique fille, et plus de quatre-vingts quand *elle* était née. Son père avait un frère qui avait une épouse et un fils. La totalité de la famille pouvait se caser dans une seule maison et y laisser encore un peu de place.

– On n'est pas obligés de parler du tout, si tu n'en as pas envie, dit Jackson.

Agitant les pouces, bougeant dans le fauteuil, il continuait d'arborer son sourire de fêlé.

– Je me contente de rester assis là et je pense à quand je m'en irai. Fais pas attention à moi. Pas un mot, pas besoin.

Il rabattit son chapeau et s'étendit à moitié hors du fauteuil, l'air de se préparer à un petit somme.

– J'attends juste que *tu* dises quelque chose...

Il observait Megan par-dessous le bord du chapeau, avec son sourire perpétuel, ses longues jambes remuantes, ses pieds qui marquaient le rythme.

– Jackson ! Il ne t'arrive jamais de rester tranquille ?

– Moi? Non. C'est la musique, tu vois? Chez moi, ils disent que je tiens de mon arrière-grand-père. Tu veux que je te parle de lui? proposa-t-il en relevant un rien son chapeau.

– Non.

– C'est son chapeau mou que j'ai là...

Megan poussa un soupir excédé.

Le chapeau fut rabattu, mais le corps entier de Jackson continuait de pulser au rythme d'une musique secrète qui semblait courir dans son sang, comme la chimiothérapie.

– Bon, *d'accord* ! s'exclama Megan, à bout.

Elle croisa les bras et refusa de le regarder davantage. Il était tellement... tellement quoi, exactement ?

– Où est-ce que tu habites ? Dis-moi ça, déjà.

Jackson secoua la tête.

– Nan. Trop tard. Tu as eu ta chance et tu l'as laissée filer.

Par la porte ouverte leur parvint une cascade de gloussements aigus que Megan identifia avec une certitude démoralisante.

– Salut, fit-elle platement.

Deux têtes apparurent dans l'entrebâillement.

– On cherche Jackson.

C'était la gamine appelée Laura qui avait parlé la première. Becky, la copine, lui expédia un coup de coude genre Jackson-est-à-moi – sans doute estimait-elle qu'elle seule avait le droit de s'enquérir de l'adolescent puisque c'était à *son* petit frère qu'elles rendaient visite.

– Oui, renchérit-elle après avoir rétabli ses prérogatives. On veut lui demander Quelque Chose d'Important.

– Il est ici, répondit Megan.

S'ensuivit une nouvelle éruption de gloussements.

– *Il est dans sa chambre...*, glapit une voix étonnée.

Les deux filles s'avancèrent sur le seuil, deux copies conformes en jean et T-shirt, barrettes à brillants dans les cheveux, baskets tape-à-l'œil. Elles auraient pu être sœurs plutôt qu'amies, être habillées par la même mère. Chacune portait un petit sac à dos, l'un rose flashy, l'autre bleu layette. Megan ne put retenir un sourire. Avait-elle ressemblé à ça ? Elle lança un regard à Jackson pour lui dire *Tu te débrouilles avec elles* puis se mit en quête de son baume pour les lèvres. Elle n'eut qu'à ouvrir la petite porte du placard, il était là. Elle s'en empara, ôta le capuchon et se le passa sur les lèvres.

Jackson pivota dans le fauteuil à sa manière nonchalante.

– Salut, vous deux ! Tu es venue voir ton frère, Becky ?

– Oui.

– C'est bien. Comment il va ?

Une expression fugitive passa sur le visage de la fillette, de doute, d'indécision. Peut-être ignorait-elle la réponse.

– Il pourrait revenir bientôt à la maison. Peut-être demain.

– Elle dit toujours demain, commenta Laura, et il ne rentre jamais.

Becky se renfrogna.

– Et tu n'es pas encore allée le voir, là ? demanda Jackson.

Becky fit signe que non puis échangea un coup d'œil

entendu avec Laura. Alors elles se tournèrent de concert vers Jackson et questionnèrent d'une seule voix :

– Tu vas devenir son amoureux?

Leurs regards désignaient Megan, qui sentit son visage s'empourprer.

– Dites donc, les filles ! rétorqua Jackson, très sérieux, la personne dont vous parlez a un nom, elle s'appelle Megan. D'abord, vous ne l'avez pas saluée...

– Salut, Megan, chuintèrent docilement les gamines.

Pour aussitôt reporter leur petite attention vindicative sur Jackson. Malgré elle, Megan le regarda aussi, puisant curieusement une sérénité dans la contemplation de ce visage, depuis ses longs cils jusqu'à ses lèvres pleines – tout chez lui évoquait une sculpture, hormis que la statue marchait, parlait, souriait.

– Je connais à peine Megan, reprit-il. Elle non plus ne me connaît pas puisqu'elle n'est ici que depuis hier... Vous ne voudriez quand même pas que je précipite les choses? La hâte est mauvaise conseillère...

Depuis le seuil, les filles l'écoutaient avec une grande concentration, braquant sur lui des yeux de chouette.

– ... Sauf quand tu dois te presser d'aller voir ton petit frère, Becky. Qui attend sa grande sœur préférée depuis des heures.

Nouveau coup d'œil entre les gamines, qui semblait dire *oui, il est temps*, et elles s'apprêtèrent à filer mais, visiblement, elles n'en avaient pas terminé.

– Tu peux faire ta tête qui fait peur, Jackson? souffla Becky. Laura ne l'a pas vue.

Jackson refusa d'un signe de tête.

– S'il te plêêêt, supplia Laura.

– La tête qui fait peur, la tête qui fait peur ! entonnèrent-elles.

Megan réprimait son rire.

– OK, mais après vous filez. Fermez les yeux.

Les filles fermèrent les yeux. Jackson lança un sourire à Megan puis transforma sa physionomie en un masque grotesque.

– Ou... vrez... les... yeux... mes... de... moi... selles...

Elles firent ce qu'on leur commandait... braillèrent, se couvrirent le visage de leurs mains, voilant leurs regards effrayés pour mieux observer entre leurs doigts écartés. Le masque terrifiant disparut, Jackson réapparut. Les criailleries se muèrent en rires.

– Partez maintenant, ordonna Jackson. Allez ouste !

– À bientôt, Jackson. À bientôt, *Megan*.

Elles s'envolèrent dans une bourrasque de gloussements.

Megan remit son tube de pommade dans le placard et fit mine d'entreprendre un peu de rangement, déterminée à ne pas regarder Jackson. Il adorait être le centre d'attraction, c'était clair. Et elle n'allait pas se transformer en pintade, comme les autres.

– Alors... quoi ? dit-il, un sourire dans la voix.

Pourquoi avait-il toujours l'air de se moquer d'elle ?

– Elles forment vraiment ton petit fan-club perso, répliqua Megan en continuant à ranger. Tu devrais leur distribuer des badges. Des mugs avec *Jackson* écrit partout. Des chapeaux. Tu pourrais les vendre.

Jackson entreprit de fouiller ses poches, puis s'arrêta.

– Zut, je croyais en avoir sur moi, des badges. T'en aurais eu un gratos puisqu'on sort presque ensemble et tout ça...

Ses yeux brillaient, immenses. Les joues brûlantes, Megan s'efforça de ne plus le regarder.

– ... Je veux dire, si Laura et Becky s'en mêlent, encore quelques jours et on se retrouve fiancés.

Megan étouffa une exclamation, il lui sembla rougir de la tête aux pieds.

– Hilarant, Jackson. À mourir de rire, franchement.

Même si elle l'avait voulu, elle était incapable de rire. La fatigue l'envahissait, la submergeait telle une lame de fond. Elle ferma les yeux. Si Jackson tenait à jouer un rôle dans une histoire inventée par deux petites filles, qu'il se débrouille. Pas question de lui donner la réplique. Et si elle gardait les yeux fermés, peut-être qu'il percuterait.

– D'accord, belle endormie, je m'en vais.

– OK, approuva Megan.

– Ça y est, je suis parti.

Elle gardait les paupières hermétiquement closes.

– Mais tu continues à bavasser...

– Au fait...

Si au moins elle avait pu lui jeter quelque chose. Un truc tranchant. Ou pesant. Ça aurait fait l'affaire. Excepté qu'elle n'avait pas l'énergie, même si elle avait eu sous la main une multitude d'objets contondants à lui balancer.

– Quoi ?

– Ta pommade.

Penché en avant, Jackson lui passa un doigt sur la bouche, très doucement, comme s'il effleurait quelque chose de délicat, qui risquait de se briser. Puis il lui tapota la lèvre inférieure, si concentré dans son geste qu'on aurait pensé le voir exécuter un acte d'une extrême importance.

– Tu as oublié d'en mettre là.

Megan fut incapable d'articuler un mot. Il était si près d'elle, si près qu'elle parvenait à peine à respirer. Durant un court moment, tout parut s'arrêter, comme si le monde entier, leur monde, dans le service, à l'hôpital, se trouvait immobilisé, sommé de ne pas remuer car, sinon, l'instant s'évanouirait.

Pour finir, leurs regards se mêlèrent. Il n'y avait ni sourire ni raillerie dans celui de Jackson ; seulement la fenêtre, en face, reflétée dans ses yeux qui s'offraient en miroirs parfaits de la pâle lumière du jour.

5

C'était un jeu idiot, à jouer quand on est couchée dans un lit d'hôpital, un jeu que ni Gemma ni les Jumelles n'auraient apprécié. Rien à voir avec le football qui a ses règles et une durée chronométrée, rien à voir non plus avec le fait d'aller zoner au centre commercial pour regarder les garçons. Il n'y avait pas de gagnants, pas de perdants. Ça ressemblait plutôt à la patience, ce jeu de cartes que Papy aimait pratiquer en solitaire.

Ça se résumait à fermer les yeux, écouter, et essayer de deviner qui passait dans le couloir, qui riait, qui parlait. Pas le droit de tricher en ouvrant les yeux. Même si personne ne risquait d'être au courant. On pouvait corser les règles, compliquer ou simplifier, au choix, selon le temps dont on disposait, le degré d'ennui, si on se sentait plus moins patraque.

Du temps, il y en avait trop.

Le plus souvent, elle s'ennuyait.

Et voilà que s'ajoutait la nausée.

Les chaussures de l'infirmière chef, Mme Brewster,

couinèrent. Megan avait étudié la question. Les chaussures de Siobhan émettaient une espèce de petit claquement. Dû aux talons, sûrement. Le cancérologue, Monsieur Grenouille, traînait les pieds comme s'il ne parvenait pas à les soulever suffisamment, ou alors il aimait le son que ça produisait, il aimait que chacun sache qui franchissait sa porte. Ou encore, son job était trop dur. Ce qui lui rendait peut-être ses souliers plus lourds.

Il avait un rire formidable, qu'il devait réserver pour ses visites dans le service, ou juste pour les petits. On l'entendait à tout bout de champ. À croire que tout ça n'était qu'une vaste plaisanterie. À croire qu'on n'était pas dans une unité bourrée de cancéreux qui essayaient d'éviter le pire.

Le pire.

Quand elle avait appris qu'elle avait un cancer et devrait aller à l'hôpital, Megan s'était d'abord tue, dans l'attente que les mots qu'elle venait d'entendre disparaissent, afin de ne pas avoir à y réfléchir.

– Et si je dis non, avait-elle demandé, parce que les mots refusaient de disparaître. Si je ne veux pas aller à l'hôpital ?

Ses parents l'avaient regardée comme si elle venait de se livrer à un strip-tease intégral devant la file d'attente du bus.

– Eh bien, Megan, avait dit Monsieur Grenouille, il s'agit d'une chose grave. Une chose importante. Le cancer, le traitement. Si tu ne reçois pas le traitement, tu pourrais mourir. Et c'est là le pire.

Les coudes sur son bureau, il avait joint les doigts en pyramide.

– Il s'agit d'essayer de t'aider à éviter le pire.

Sa mère s'était alors mise à pleurer. Jusque-là, elle s'était manifestement efforcée de ne pas craquer devant Megan afin de ne pas en rajouter, mais, après que Grenouille eut ainsi résumé la situation, sans doute avait-elle pensé que le pire était là de toute façon.

Son père restait aussi immobile et indéchiffrable qu'une feuille de papier vierge sur un tableau d'affichage.

Megan s'était sue vaincue.

C'était comme à un stand de fête foraine quand tu mises tes derniers centimes dans un jeu stupide alors que le gros lot ne vient jamais à ta portée. Tes tout derniers centimes. Et tu regrettes de ne pas avoir plus de sous pour t'approcher de la victoire. Sauf que tu finis par arrêter, parce que ça devient trop dingue. Il faut reconnaître quand tu as perdu – à la fête foraine aussi bien que dans le cabinet d'un cancérologue.

– Bon, d'accord, avait-elle dit.

Son regard planté dans celui de Monsieur Grenouille, elle s'efforçait de ne pas pleurer, de ne pas trembler. D'encaisser, aurait dit Papy.

Mme Brewster arrivait dans le couloir en compagnie de Jackson auquel elle s'adressait du ton sec d'une institutrice face à un garçon turbulent. Ça paraissait être la règle générale. D'une façon ou d'une autre, Jackson faisait toujours des trucs limites, et se faisait toujours piquer. Ce qui signifiait qu'il n'était pas très doué. Cette pensée fit sourire Megan alors qu'elle se sentait absolument lessivée.

Ils n'avaient pas tort ceux qui disaient que la chimio pouvait vous mettre KO.

– Je reçois donc un coup de téléphone, Jackson, qui me signale que tu es descendu traîner à l'étage de la radio. Corrige-moi si je me trompe, mais tu n'avais pas de rayons prévus cet après-midi, si?

– Pas précisément.

– *Pas précisément*. Et, pour autant que je le sache, tu n'as aucune radiographie à passer.

Dans le bref silence qui suivit, Mme Brewster décocha sûrement à son interlocuteur l'un de ces regards dont elle avait le secret.

– Jackson, tu sais qu'il est important que nous ayons une petite idée de l'endroit où tu te trouves. Sardine m'a fait le coup, elle aussi, d'essayer de filer. Tu sais qu'elle épie tous tes faits et gestes.

Parfois, Megan aussi aurait voulu s'enfuir du service. Même si ce devait être avec Jackson, même si elle devait ignorer leur destination et le suivre les yeux fermés.

Malheureusement, Jackson semblait préférer disparaître tout seul. Megan ne savait quasiment jamais s'il se trouvait encore dans l'unité, s'il était rentré chez lui, ou s'il se promenait dans l'hôpital. Malgré sa tchatche, il ne lui en disait pas beaucoup.

– Quelqu'un vous a téléphoné pour vous dire où

j'étais, rétorquait Jackson. Pas besoin de vous prendre la tête. C'est pas comme si j'avais sauté dans le bus 47.

– Jackson...

Il continuait de la ramener, à croire que ça l'amusait de se faire remonter les bretelles. Ils avaient dépassé la chambre de Megan à présent, leurs voix se faisaient plus indistinctes. Il n'y avait rien d'étonnant à ce que Jackson cherche à s'échapper, à changer de paysage, à aller se balader. Cet hôpital, cette chambre, ces murs et ces couloirs constituaient un univers étroit et limité.

Au moins, les petits avaient leur salle de jeux. Ils avaient même une animatrice qui les laissait mettre le bazar avec les jouets, les peintures, la terre glaise. Ils avaient des marionnettes et des tas de déguisements. À condition d'être petit, tu pouvais jouer au docteur ou à l'infirmière, et planter des aiguilles dans ta poupée.

D'après Siobhan, c'était pour les aider à se sentir normaux, les empêcher de penser à des choses désagréables, les préparer aux examens médicaux. Ainsi la vie à l'hôpital et le protocole thérapeutique leur paraissaient-ils moins effrayants.

– Ce n'est pas pareil avec vous, les plus âgés, disait-elle. Vous pouvez comprendre ce qui se passe. Mais quand on est tout petit, les appareils de radiothérapie ont l'air de monstres gigantesques. Ils ne passent que quelques minutes à l'intérieur, mais ça leur paraît une éternité.

Il n'était pas nécessaire d'être un tout-petit pour sentir que le temps se traînait. Être coincée ici équivalait à une peine à perpétuité. Trop fatiguée pour remuer, pas assez d'énergie pour dessiner, trop rincée même pour envoyer un texto aux copines. D'ailleurs, elle n'en avait pas envie. Pour leur dire quoi ? Elles étaient au collège, occupées à de vraies activités. Elle était là à ne rien faire, seulement entendre Jackson se faire sermonner.

Ses amies ne comprendraient pas.

Elle ne se rappelait même pas à quoi aurait ressemblé la vie en ce moment si elle avait été en classe. Elle était incapable de se figurer la moindre chose concrète. Ça se passait à l'extérieur de ces murs et elle était à l'intérieur. Ça revenait un peu à se retrouver piégée dans une boule à neige, sans la neige.

Megan cligna des yeux et finit par les rouvrir. Elle n'avait pas réellement dormi mais il était plus facile de rester allongée les paupières closes. Un moment plus tôt, elle était parvenue à tracer quelques gribouillis sans intérêt, on aurait dit que la chimio empêchait son esprit de fonctionner correctement et sa main de dessiner quoi que ce fût de valable. Elle essaya de lire le livre qu'elle avait apporté. Un super bouquin – du moins quand elle l'avait commencé à la maison. Elle pouvait aussi essayer de se plonger dans ses cours. Le collège lui en avait imprimé quelques-uns que sa mère lui avait apportés plus tôt dans la journée. Remarquant le regard Ne-t'imagine-pas-que-je-vais-bosser que lui avait décoché Megan, elle les avait relégués dans le placard, sans commentaire. En plus, il y avait des cartes à fixer au mur. Sa mère avait lu à voix haute tous les noms et tous les messages des expéditeurs, dans leur intégralité, du premier au dernier, si bien que les mots avaient fini par tourbillonner dans la tête de Megan.

Ç'avait été un soulagement quand elle avait annoncé qu'elle devait poster un colis à son père et quoique, après son départ, l'agitation du service continuât de l'autre côté de la porte, la paix régnait enfin dans la chambre.

Pour un moment, du moins.

Voilà que quelqu'un se présentait à la porte.

Megan se retourna pour découvrir, debout sur le seuil, un alien... ou une princesse – il y avait de quoi hésiter. Un crâne aussi lisse qu'un œuf. De grands yeux bleus. Pas de sourcils. Avec ça, menue comme un crayon. La robe rose à fanfreluches tenait à peine sur les épaules et tombait autour d'elle tel un sac en dentelle. Un tube fin sortait de son nez et était fixé sur sa joue par un sparadrap. Son bracelet d'identification semblait deux fois trop grand pour son poignet frêle. C'était la plus belle, la plus étrange vision que Megan ait jamais eue.

– Salut... Serais-tu... Sardine ?

L'alien hocha affirmativement la tête. Megan se hissa en position semi-assise et son livre glissa à terre.

– Tu cherches Jackson ?

Signe négatif.

– J'ai parlé avec ta maman la nuit dernière.

Était-ce la nuit dernière ? Ou celle d'avant ? Impossible de s'en souvenir. Tant pis. La fillette ne soufflait mot.

Megan se demanda ce qu'elle fabriquait ici, à sa porte, et espéra l'arrivée de quelqu'un qui l'emmènerait. Elle se reprit aussitôt. *Tu deviens infecte ou quoi ? La chimio te rend méchante à ce point-là ?*

– Quelque chose ne va pas ? Tu veux que j'appelle une infirmière ?

Sardine secoua la tête à chacune des questions. Megan était épuisée.

– Bon, tu veux entrer ?

Une lueur d'intérêt s'alluma enfin dans les yeux de Sardine.

– Jackson ne s'embête pas à demander la permission, alors tu n'as pas besoin non plus.

Megan sourit, mais l'enfant ne lui rendit pas son sourire et n'esquissa pas le moindre mouvement. Elle demeurait plantée sur le seuil.

– Raconte un peu. Depuis combien de temps es-tu ici ?

Sardine haussa les épaules. Elle fixait Megan avec une vague expression d'attente sur le visage. Que voulait-elle ? Pourquoi était-elle là ?

– Tu es autorisée à boire du jus de fruits ? Ou à manger des bonbons ? J'en ai plein.

Faisait-elle bien de lui offrir des sucreries, ou de la laisser boire dans son verre ? Trop tard pour se poser la question.

Aucune réponse.

Sardine commença à examiner la pièce, l'air de vérifier que tout était à sa place ou d'essayer de se rappeler quelque chose. Peut-être avait-elle occupé cette chambre lors d'un séjour précédent et désirait-elle jeter un coup d'œil maintenant que les lieux étaient attribués à quelqu'un d'autre.

– Ça te plaît la vie ici ? Sans doute que non. La maison c'est mieux, hein ?

Sardine la regardait de nouveau. Peut-être écoutait-elle, en tout cas rien ne donnait à penser qu'elle comprenait.

– Puisqu'on est obligées d'être ici, on peut dire que les infirmières sont gentilles. Tu es d'accord ? J'aime bien Siobhan. Elle est marrante. Et les docteurs, ça va aussi. Sauf qu'ils posent trop de questions.

Megan essaya de rire mais les immenses yeux de la fillette rivés sur elle semblaient lui pomper toute son énergie.

– Ça fait longtemps que tu es là ? Moi non, mais j'en ai déjà ras le bol. Est-ce que tu t'ennuies ? Je crois que si on me donnait des exercices de maths, je les ferais sans discuter, tellement je m'embête.

Megan conclut par un grand sourire ; elle se fit l'effet d'un clown qui s'est peint sur la figure un rictus jusqu'aux oreilles, dans l'espoir de faire s'esclaffer les gosses.

– Et cette chimio, ça met à plat, hein ?

L'enfant paraissait la trouver un peu frappée, elle le

lisait dans ses yeux. Quant à ses grimaces de clown, elle pouvait se les garder, c'était pour les bébés.

– Tu as presque sept ans, c'est ça ?

Sardine acquiesça, promena un ultime coup d'œil autour de la pièce et s'en alla.

– Au revoir, alors, souffla Megan dans le vide.

On l'avait prévenue qu'elle risquait d'avoir des nausées au bout d'un jour ou deux, mais s'y ajoutait surtout une immense fatigue que rien ne parvenait à chasser. S'allonger à plat dos ne la reposait pas ; se mettre sur le côté, non plus. Elle venait de refermer les yeux dans un accablement total lorsqu'elle entendit Jackson s'approcher de sa porte – ses sandales produisaient un raclement discret.

Génial.

Le pied à perfusion du visiteur entra en collision avec le pied du fauteuil.

– Oups. Désolé. J'arrête pas de cogner ce truc partout. Je peux entrer ? J'essaie d'éviter Booster.

Non, voulut hurler Megan. *Je ne veux pas de compagnie. J'ai envie de vomir !* De fait, elle vomit aussitôt dans la cuvette.

– Super !

Appuyé contre le mur, Jackson lui souriait.

– Tu es devenue verte.

S'effondrant sur ses oreillers, Megan s'essuya la bouche du revers de la main.

– Moi, quand je vomis, je vire pas au vert, poursuivit

Jackson avec son immuable sourire, contraste dents blanches peau noire. C'est plutôt un genre de gris.

Megan ferma les yeux, souhaitant qu'il s'en aille. Puis quelque chose l'alerta. Jackson était essoufflé, comme s'il venait de disputer une course. Elle s'obligea à rouvrir les yeux pour l'observer. Il était à présent assis bien droit dans le fauteuil proche du lit. Il n'avait pas l'air à son aise. Sa poitrine se soulevait laborieusement, ses épaules montaient et redescendaient, un voile de transpiration luisait sur sa peau.

– Tu te sens bien ?

– Je suis allé jusqu'à la radio, et retour, ça fait une trotte.

Il lui fallut un moment pour reprendre son souffle, cependant il finit par se détendre, allongea les jambes et redevint le bon vieux Jackson.

– Je te présente l'arrière-grand-père Dawes, dit-il.

Il désignait son T-shirt, un carré de coton long et ample sur lequel était imprimée la photo d'un vieil homme coiffé d'un chapeau et jouant de la trompette.

– Jackson T. Dawes. On m'a donné son nom parce que le jour de ma naissance, au lieu de brailler, je suis sorti en dansant et en chantant.

– Ouais. Et t'as pas arrêté depuis.

Jackson se mit à rire. C'était la première fois que Megan entendait ce rire, un rire étonnamment sourd, grave et rauque, venu tout droit du ventre et qui faisait danser ses épaules. Ça lui donnait l'air incroyablement plus vieux qu'il n'était et cela la fit rire à son tour, malgré son épuisement.

– Bon... Veux-tu que je m'occupe de tes cheveux?

Megan prit une profonde inspiration tandis que lui venait une nouvelle nausée.

– Arrête de faire l'imbécile, Jackson.

– Ils vont sûrement tomber, de toute façon. Autant les raser.

Elle inspira de nouveau profondément; il s'agissait d'empêcher son estomac de se rebeller, elle ne voulait plus vomir, elle ne voulait pas qu'on lui rappelle le sort de ses cheveux.

– Oh, c'est trop dégueu.

– Sûr. Mais ça s'arrangera. Sérieux. Qu'est-ce que tu as, au fait? Tu ne m'as jamais dit.

Papillonnant d'un sujet à l'autre, telle une abeille de fleur en fleur. Megan détourna la tête, refusant de répondre. Il poursuivit :

– Mon mal à moi est si rare qu'il n'a même pas de nom. Des gens écrivent des bouquins là-dessus. Je parie que ta maladie à toi a un nom.

Megan ferma une nouvelle fois les yeux.

– Medullo... blastomachinchose... bidule. Sais plus. Tu vas bientôt t'en aller? ajouta-t-elle en lui adressant un regard éloquent. Dis-moi que oui, s'il te plaît.

Jackson haussa les épaules, sourit encore, puis agrippa les bras du fauteuil pour se décoller de l'assise et se mettre à la verticale. La manœuvre parut exiger de lui un réel effort. Megan observa les muscles de ses bras, les tendons qui affleuraient sous sa peau, les minuscules perles de sueur.

– T'as besoin de quelque chose? demanda-t-il.

– Jackson...

L'infirmière chef venait d'apparaître à la porte. Elle tenait en main un récipient en forme de haricot ainsi qu'une feuille de prescription. Elle posa le tout sur la table de chevet.

Megan soupira. Qu'allait-on lui faire maintenant?

– Ce dont elle a *besoin*, c'est que tu t'en ailles, déclara Mme Brewster. Allez, fiche le camp. Sans traîner.

– OK, OK. On faisait seulement connaissance, dit Jackson en poussant devant lui son pied à perfusion. Vous nous y avez encouragés, vous vous souvenez?

L'infirmière chef haussa les sourcils et, d'un signe de tête, indiqua la porte ouverte. Un léger frémissement lui crispait le coin des lèvres comme si elle réprimait un rire et s'efforçait de conserver une expression sévère.

Megan aurait pu rire pour sa part, mais en fut empêchée.

– Oh..., gémit-elle en tâtonnant à la recherche de la cuvette.

D'une main elle cala le récipient sous son menton, de l'autre elle dégagea ses cheveux. Juste à temps.

– Impressionnant, commenta Jackson.

6

En sortant de la salle de bains, Megan s'efforça de ne pas paraître surprise de trouver Sardine assise au beau milieu de son lit – sa robe en dentelle déployée autour d'elle évoquait une meringue rose. Megan se contenta de plier sa serviette et de ranger sa trousse de toilette. La fillette restait immobile, semblable à une de ces figurines féeriques qu'on accroche en haut du sapin de Noël. Megan se demanda si elle était autorisée à occuper le lit de quelqu'un d'autre. Se demanda aussi s'il fallait aviser une infirmière de la présence de l'enfant dans sa chambre. Sinon, on risquait de la croire partie en balade, façon Jackson.

– Salut, toi... J'ai essayé de prendre une douche, mais c'est pas facile avec ce truc idiot...

Elle bouscula vaguement son pied à perf.

– Tu as dîné?

Minuscule secousse de la tête.

– Moi non plus. Il y a une odeur de...

– Vieille chaussette, dit Sardine.

Megan se mit de la pommade sur les lèvres et glissa le tube sous son oreiller.

– Exactement. En plus, je trouve que tout a un goût de carton. Pousse-toi un peu, je suis crevée.

Sardine se rangea sur un côté du lit.

– J'ai besoin de dormir, au moins de m'allonger. Ce truc t'épuise ! Tu l'as déjà eu ?

Sardine acquiesça silencieusement.

– Et ça t'a fatiguée aussi ?

Un regard. Rien d'autre.

– Moi, ça me rétame total.

Un bruit dans le couloir fit légèrement sursauter Sardine. Ce n'était que l'agent hospitalier qui portait les repas. Son pas était facile à identifier : il était atteint d'une claudication, aussi l'un de ses pieds traînait-il toujours derrière l'autre. Néanmoins l'indice le plus sûr de sa présence était le grincement des roues de son chariot. Il l'amenait dans le service à cinq heures et demie ; il le rangeait dans une sorte de cagibi spécialement équipé pour maintenir les plateaux au chaud ; deux heures plus tard, homme et chariot repartaient.

– Est-ce qu'on risque des ennuis si on ne mange pas notre dîner ? Je suis nouvelle, alors je ne sais pas.

Vague haussement d'épaules.

– Je crois qu'un chat t'a pris ta langue.

– Mister Henry, murmura Sardine avec un sourire fugace.

– Ah, ah ! C'est bien ce que je pensais. Est-ce que tu l'as vu ?

La fillette secoua la tête.

– Moi, je crois l'avoir entendu, mais je n'en suis pas sûre. Jackson a dit que c'était lui. Sauf que je ne vois pas comment ce serait possible. Pas à cette hauteur. À ton avis ? Comment pourrait-il grimper si haut ? Voilà ce que j'aimerais savoir.

– Brian est bien monté à notre arbre, fit Sardine d'une voix paisible. Et puis les pompiers sont venus pour le faire redescendre.

Megan rit, mais s'arrêta aussitôt car le visage de Sardine s'était chiffonné et des larmes affluaient dans ses yeux, comme si le monde venait de s'écrouler autour d'elle – une enfant perdue dans une zone sinistrée.

– Oh, qu'est-ce qui ne va pas ? Viens par ici.

Elle enlaça la fillette qui se pelotonna contre elle. Ses mains étaient froides, ses doigts légers comme des plumes, pareils à ceux d'un enfant bien plus jeune. Megan tira la couverture sur le corps frêle, la remontant jusque sous son menton.

– C'est mieux ?

Sardine acquiesça.

– C'est ton chat, Brian ?

– C'est un chaton.

– Qui s'occupe de lui pendant que tu es ici ?

Sardine renifla et se blottit davantage contre Megan, si bien que celle-ci pouvait sentir combien ce petit corps était anguleux, et douce la tête chauve nichée sous son menton. Son crâne semblait plus chaud que chauve, car légèrement duveteux, comme celui d'un bébé.

– Ma mémé et mon pépé s'occupent de lui.

– C'est bien, non ?

Sardine ne répondit pas. Seulement, elle s'enroula autour de Megan, ses bras et ses jambes emprisonnant l'adolescente dans une étreinte farouche, et se mit à sangloter si fort que toute sa petite personne en était secouée ; on aurait dit que quelque main invisible l'avait confondue avec un chiffon et l'agitait afin d'en chasser la poussière.

Megan s'éveilla en sursaut, ne sachant plus où elle se trouvait ni quelle heure il était. Tout paraissait lourd et englué dans un désordre humide de sueur. Elle en comprit la raison lorsque, tentant de bouger, elle découvrit Sardine toujours cramponnée à elle et profondément endormie. L'enfant prit une longue inspiration tremblante, l'air de rechigner à être dérangée dans son sommeil, mais elle ne se réveilla pas, se contenta de changer de position, s'étira et se réinstalla douillettement.

Son visage semblait apaisé maintenant, à croire qu'elle avait oublié ses chagrins et tracas, que plus rien ne s'agitait dans son cerveau. Sommeil profond, sans rêves, sans soucis.

Soucis.

Comment un être aussi jeune pouvait-il avoir des soucis ?

Peut-être parce qu'elle se sentait observée, Sardine remua légèrement. Ses pieds pointèrent hors de la couverture, toujours chaussés de leurs pantoufles. Roses.

Scintillantes. Quel bruit produisaient-elles? Un léger martèlement, un glissement? Dans la mesure où elles étaient un peu trop grandes, elles pouvaient glisser et frotter sur le sol.

Pas traîner, non. Ces pantoufles étaient trop jolies pour traîner. La fillette trop aérienne, trop délicate.

Megan continua de l'observer. Elle était encore emmitouflée dans drap et couverture. L'une de ses joues était pâle comme du lait, mais l'autre, qui était restée pressée longtemps dans le cou de Megan, était d'un rose luisant et marquée de sillons. Une oreille de lutin, dont les volutes et les ourlets minuscules possédaient la transparence délicate d'un pétale de fleur, lui rappela la petite fille qu'elle gardait parfois. La fille de M. et Mme Baker, au numéro 19 de sa rue. Elle n'avait que deux ans et demi. Les oreilles grandissaient-elles à la même allure que le reste de notre personne?

Sardine avait près de sept ans.

– Oh, soupira Megan dans le vide, consciente à présent qu'un de ses bras enlaçait la fillette. Que vais-je faire de toi?

Peut-être en réponse à sa question, Jackson se montra à la porte, jeta un œil dans la chambre et sourit.

– Tu l'as kidnappée ou elle t'a kidnappée?

– Je ne sais pas trop, répondit Megan.

Jackson s'assit au bord du lit et se pencha vers Sardine.

– Elle ne va pas se réveiller avant longtemps. Je te le garantis. Tu es scotchée. Pour toujours, va savoir.

– Possible, sauf que j'ai le bras engourdi.

– Oh, oh, faut la changer de place.

Jackson ôta la couverture et parvint à détacher Sardine de Megan ; celle-ci sentit aussitôt le froid la gagner. Elle attrapa sa robe de chambre à la tête du lit et la disposa sur l'enfant qui, toujours profondément endormie, reposait à présent entre eux deux.

Le sang se remit à circuler dans le bras de Megan. Elle remua les doigts, pencha la tête d'un côté et de l'autre ; elle ressentait brusquement la douleur dans sa nuque ankylosée.

– Quelle heure est-il ? demanda-t-elle.

– L'équipe de jour va bientôt rentrer à la maison.

Elle n'avait donc pas dormi très longtemps. Pourtant, ça lui avait paru des heures.

Siobhan arriva à ce moment-là.

– Ah. La voilà. Sa maman est allée à la cafétéria pour souffler un peu et à son retour elle trouve un lit vide !

– Je crois que son chat lui manque, expliqua Megan. Elle se faisait du souci pour lui.

– Ah, oui ?

– Et je ne savais pas quoi faire. Ni si elle avait le droit d'être ici. Dans ma chambre, je veux dire. Mais elle était trop triste pour que je la réexpédie. Ensuite, elle s'est endormie.

– Pauvre bout de chou. Je vais la ramener.

Megan regarda Siobhan soulever la fillette d'un geste à la fois si prompt et si délicat, si précautionneux qu'il aurait pu s'agir d'un objet fragile ou précieux, façonné en un très mince verre rose, quelque chose qui risquait de se briser pour peu qu'un souffle intempestif vînt l'effleurer.

Sardine, néanmoins, toujours profondément endormie, ne broncha pas et se lova d'elle-même dans les bras de l'infirmière, étrangère à toute idée de catastrophe.

Il était onze heures passées, Megan aurait dû dormir, mais son esprit ne la laissait pas en repos. Elle essaya de lire, elle essaya de dessiner, elle essaya l'immobilité absolue, dans l'espoir que le sommeil vienne ; il n'en fut rien. Pour finir, elle quitta son lit et partit marcher dans le couloir.

La salle d'attente des visiteurs était plongée dans une obscurité seulement atténuée par le faible éclat argenté du dehors et par la modeste flaque de lumière dorée que diffusait une lampe d'architecte fixée à une table d'angle. Le lieu semblait si douillet, curieusement, si paisible que Megan s'y sentit attirée alors que son intention première n'avait été que de faire une promenade.

Après avoir négocié le parcours de son pied à perfusion entre chaises et table basse, elle atteignit la fenêtre et contempla l'extérieur : le fleuve, les routes, les immeubles, tous illuminés, tous tellement différents dans leur manteau de nuit. Depuis l'enceinte de l'hôpital, le panorama s'étirait en une couverture scintillante étendue sur cet autre monde, celui où vivait sa mère et d'où elle rapportait quelques bribes d'informations – à propos du chien des voisins, de la réfection du toit de l'église ou de la nouvelle supérette Sainsbury's Express qui venait d'ouvrir et où elle était allée jeter un œil. Elle aurait pu aussi bien parler d'un voyage sur Mars. Cependant, Megan l'avait écoutée, s'efforçant de manifester de l'intérêt quand son seul souhait était qu'elle s'en aille – ce qui la culpabilisait. Encore à présent.

Elle éteignit la lampe. Curieusement, la pénombre accrue l'aida à se sentir mieux, à oublier sa mère ; le paysage au-dehors scintillait davantage.

La ville ne dormait pas, elle bruissait d'activité. Le tracé des routes éclairées filait dans toutes les directions en étranges tentacules sur fond noir, tendus vers le lointain. Les voitures s'y déplaçaient par à-coups. Qui étaient-ils, tous ces conducteurs ? Où allaient-ils à une heure pareille ?

Plus près, les lampadaires diffusaient une blancheur brumeuse pareille à un voile, qui débusquait les secrets de l'ombre, une personne, un animal. Mister Henry, peut-être. S'il existait vraiment. Sans doute, en ce moment même, maraudait-il dans la ville, à la recherche de rats.

Un train passa pesamment sur le pont qui franchissait le fleuve et s'éloigna. Megan aurait aimé être à bord. Un bus nocturne remonta la rue devant l'hôpital. Il ferait l'affaire pour rentrer à la maison.

Dans le ciel, un avion vrombissait. Impossible de déterminer s'il s'apprêtait à atterrir ou s'il décollait. Personne à bord de cet avion, personne dans ce monde qui s'étendait sous elle, dans ces voitures, dans le train, dans les bus ou dans l'ombre, personne ne savait rien d'elle. Elle était aussi insignifiante qu'une fourmi, seulement quelqu'un qui regardait dehors depuis une fenêtre. Quelqu'un dont les amies n'étaient pas venues.

Deux jours entiers.

À cause des cours, expliquait Gemma quand elle envoyait des messages ; à cause des devoirs, assuraient les Jumelles. Et quand ce n'était pas le collège, c'étaient toutes les autres activités. Puis l'hôpital était si loin. Dès son retour, affirmaient-elles, on se verrait chaque jour. C'était pour bientôt... ☺ ☺ ☺ ☺ ☺

Jackson avait raison, et Megan avait envie de le détester pour ça, mais elle ne pouvait pas. Il avait tenté de l'avertir, elle ne l'avait pas écouté. Et ses amies lui manquaient comme à Sardine son chaton, au point d'en avoir mal.

Soudain la lune apparut à la fenêtre, de derrière un nuage. Elle ressemblait à une boule de glace, baignant la pièce d'un éclat qui rendait encore plus fades, plus livides les murs déjà anémiques, étrangement plus ombreuse la silhouette des chaises bleues, leurs contours plus avachis, plus usés et accidentés, comme des plaies. Megan s'essuya les yeux. C'était stupide de pleurer, mais elle n'y pouvait rien.

Un mouvement dans l'obscurité lui fit pousser un petit cri.

– Chuuut ! fit Jackson.

– T'as qu'à pas effrayer les gens !

– Je n'effraie personne ! C'est *ma* planque, ici.

– Pas cette nuit, contra Megan, et moi je ne me planque pas.

Jackson s'approcha d'elle.

– Au moins, t'es d'accord pour partager?

Megan ne put parler davantage. Elle ne voulait pas pleurer devant lui, ne voulait pas se montrer si faible, si bête, ne pouvait cependant empêcher ni l'un ni l'autre. Et voilà qu'elle se mettait de nouveau à songer à Sardine. Pauvre petite princesse alien. Pourquoi tenait-elle à venir la voir? Et à changer de nom? Ça rimait à quoi? D'un autre côté, pourquoi pas? Rien n'était réel à l'hôpital. Contrairement à la maison. Changer de nom aidait peut-être à supporter la maladie, le séjour obligé dans ce service. On pouvait faire semblant de croire que ça arrivait à quelqu'un d'autre.

Si elle-même avait pu changer de nom, être quelqu'un d'autre.

– J'aggrave ton état? s'enquit Jackson d'une voix douce. Tu veux que je m'en aille?

Megan le regarda. Elle se faisait l'effet d'une naine tellement il était grand. À peine si elle lui arrivait à l'épaule, pourtant quelque chose dans sa haute taille le parait de robustesse, de solidité, un peu comme un bon gros rocher bien rassurant, un truc qui ne bougerait jamais ni ne te laisserait tomber.

Non, elle n'avait pas envie qu'il s'en aille.

– C'est bon, dit-elle.

– Alors... qu'est-ce qu'il y a?

– Sais pas.

Elle aurait aimé laisser aller sa tête sur son bras, s'abandonner contre lui, rien qu'une seconde ou deux. Elle comprit. Ça tenait à plein de choses. Sa façon d'être si heureux, si gai en permanence, quand elle-même n'éprouvait que colère et contrariété. Sa façon à elle de ne pas croire ce qu'il avait affirmé à propos des copines. Alors qu'il avait raison sur toute la ligne. Son refus de le voir dans les parages. Alors que, franchement, elle avait besoin de lui plus que de tout autre chose. Surtout maintenant.

– Hé, souffla Jackson en s'approchant encore.

Leurs pieds à perf s'entrechoquèrent dans un tintement sourd.

– Te fais donc pas de souci, quelle que soit la raison.

Puis son bras lui enlaça les épaules, chaud et enveloppant comme un pull, l'attira si près qu'elle eut l'impression de se fondre en lui, si bien que dans l'éclat âpre et cru du clair de lune, le scintillement tapageur de la ville et les traits lumineux des routes, ne régna plus qu'un brouillard. Megan ne voyait plus où finissait sa personne, ou commençait celle de l'autre, et ça n'avait aucune importance. Plus rien n'avait d'importance.

– Merci, dit-elle plus tard.

Elle avait les yeux gonflés et brûlants à force d'avoir pleuré.

– Pour?

– Je sais pas. Pour avoir été là, je suppose.

Mais c'était plus que cela. C'était tout le reste.

C'était qu'il lui avait permis de pleurer sans que cela porte à conséquence. C'était qu'il rendait les choses un peu plus simples, un poil moins embrouillées. C'était ce sentiment de sécurité qu'il lui procurait, là, devant la fenêtre, avec la nuit qui les entourait.

Elle finit par s'éloigner, se dégageant doucement du bras qui ceignait ses épaules.

– On devrait peut-être retourner dans nos chambres. Avant qu'on nous découvre.

– Laisse faire. Qu'est-ce qu'ils peuvent contre nous? Nous virer? Nous renvoyer au bercail?

Son visage luisait dans le clair de lune. Il souriait.

C'était un beau sourire, sans rien de moqueur, pour changer. Megan comprit qu'il s'efforçait de se montrer amical, de compenser puisqu'il n'y avait pas de Gemma à qui parler, pas de Jumelles avec qui échanger des vannes débiles sur tout et n'importe quoi, comme si elles pouvaient comprendre ce que c'était que d'être à l'hosto, d'avoir un cancer.

Elle lui adressa un sourire tremblant.

Il était vraiment tout ce qu'elle avait. Il faudrait qu'elle soit sympa avec lui, qu'elle cesse de le traiter en trublion, en intrus. Comme s'il devinait ses pensées, il se pencha légèrement en avant. Elle sentit sur son visage son haleine fraîche parfumée au dentifrice.

– Restons simplement ici, murmura-t-il avec détermination.

Mais qu'est-ce que cela résolvait?

– Est-ce qu'on a le choix? rétorqua Megan, étonnée

par sa propre amertume. Il n'existe que ce service nul, cet hosto nul.

Ses mots étaient sortis hachés, furieux, à croire qu'elle tenait Jackson pour responsable, qu'elle lui en voulait.

Elle n'avait pu endiguer sa colère. Une colère qui ne s'en irait pas. *Rester simplement ici* signifiait qu'elle ne pourrait plus partir, qu'elle serait aspirée par l'hôpital, dans le monde de Jackson, et qu'elle finirait comme lui, dans la débrouille et les emmerdes, ou comme Sardine, bouleversée par l'absence de son chat.

Elle ne voulait pas s'attirer des ennuis, elle ne voulait pas pleurer son chat. Elle voulait être normale, mener une vie normale loin d'ici et ne plus avoir de cancer. C'était la merde. Tout. Et Jackson ne *pouvait pas* l'aider. Personne ne le pouvait et il n'y avait aucune raison de *rester simplement ici*.

Ce fut à ce moment-là que Jackson approcha le visage du sien pour déposer sur ses lèvres un baiser furtif et doux. Elle s'écarta.

– Arrête.

Jackson s'immobilisa à la façon d'un automate dont on aurait éteint le mécanisme en pressant un bouton. L'atmosphère se fit presque électrique. Megan n'aurait su dire s'il était blessé, amusé ou fâché. Elle aurait pu facilement relancer l'automate, facilement revenir auprès de lui et sentir sa présence à travers l'étoffe fine de sa robe de chambre, respirer avec lui d'un même souffle. Elle aurait pu aisément lui rendre son baiser.

Mais non.

Ça n'allait pas. Rien n'allait.

L'espace qui les séparait se mua en gouffre profond. L'air se rafraîchit.

– C'est OK, dit Jackson. J'ai compris.

– Non ! Tu n'as rien compris du tout ! C'est juste que...

Les mots lui manquèrent. Un autre gouffre, encore plus béant, s'ouvrait en elle.

Ne fallait-il pas se sentir au moins un peu heureuse pour avoir envie d'embrasser quelqu'un ?

Megan entreprit de regagner la porte, malheureusement maintenant, dans le noir, le mobilier paraissait plus encombrant qu'un moment plus tôt, son pied à perfusion semblait avoir grossi et multiplié ses roulettes. Il cognait partout.

– T'en va pas, fit Jackson. Reste encore un peu. Je te présente mes excuses. Je ne tenterai plus rien, promis.

Le sourire était revenu dans sa voix, affirmant que rien n'était venu l'émouvoir ou le perturber. Rien ni personne, pas même elle, ne pourrait jamais l'atteindre réellement.

Ce qui poussa Megan à sourire à son tour, un peu, comme si sa peine et son malaise n'avaient été qu'un mauvais rêve et qu'elle était désormais réveillée.

Jackson entreprit de s'allonger sur la rangée de chaises basses qui formaient une banquette contre le mur du fond.

– Qu'est-ce que tu fais ? demanda Megan.

– Il m'arrive parfois de me coucher pour dormir.

Il parlait soudain comme sa mère ou quelqu'un d'encore plus âgé.

– Là-dessus ?

– Ouais. Essaie.

Megan s'installa sur la rangée de sièges disposée en face. Ils n'étaient pas inconfortables à proprement parler. Elle plia les genoux, enveloppa ses pieds avec le bas de sa robe de chambre afin de les tenir au chaud. Elle se voyait bien dormir ici. Jackson l'avait-il déjà fait ? Une nuit entière ? L'avait-on pris sur le fait ? Elle le regarda qui s'étirait tel un chat dans son panier.

– Jackson ? chuchota-t-elle.

– Chuut ! Je réfléchis à un projet.

– Quel genre ? s'enquit Megan, méfiante.

Seul un vague rire lui répondit. Oh, non. Il ne mijotait quand même pas de quitter le service cette nuit ?

– Tu vas encore fuguer ?

Pas de réponse.

– Tu vas finir par les rendre dingues, tu sais.

Nouveau rire étouffé, puis silence. Manifestement, Jackson se fichait de contrarier le personnel médical, il ne s'encombrait pas des règles et règlements, sinon pour les transgresser, histoire d'aller prendre l'air un petit moment.

Si seulement elle pouvait l'imiter.

Comme lui, elle aspirait à un endroit où aller, un endroit qui n'était pas sa chambre, pas le service, ni la salle d'attente des visiteurs, ni ce coin qu'ils appelaient

École, mais qui se résumait à une table, deux chaises et un ordinateur dans l'angle de la salle de jeux.

– Où est-ce que tu vas, en fait? questionna-t-elle. Quand tu quittes le service?

Jackson se redressa sur un coude. Elle sentit qu'il l'observait, qu'il s'efforçait de la décrypter.

– Eh bien, c'est un grand hôpital, dit-il. Il y a des tas d'étages, de bâtiments, d'ascenseurs. Puis il y a la partie ancienne, pleine de couloirs, d'ombres mystérieuses et de choses que tu n'as pas envie de croiser en pleine nuit...

– Arrête, l'avertit Megan. Garde ça pour Becky et Laura. Allez. Accouche!

Il émit un sourd rire de gorge.

– D'accord... Bon... Les cuisines, la cantine du personnel, la lingerie, la cafèt', la chapelle...

Il s'interrompit, peut-être pour reprendre son souffle, peut-être pour guetter la réaction de Megan.

Celle-ci le fixait dans la pénombre. Elle ne le voyait pas s'attarder à la chapelle ou à la lingerie, elle l'imaginait marcher nonchalamment, sans but apparent, franchir les portes principales, parcourir l'allée, sortir dans la rue...

– ... la résidence des médecins, les logements des infirmières... enfin, je pense que c'était ça...

– Tu n'es pas allé dans tous ces endroits.

– Et pourtant si.

– Pourquoi?

– Pourquoi pas?

Son sourire découvrit ses dents très blanches dans le clair de lune.

– Ça leur rappelle que je suis encore là. Je leur manquerai quand je partirai.

– Autant qu'un trou dans la tête.

Une horloge sonna, lâchant imperturbablement sur la ville chacun de ses coups sourds. Il était minuit. Mister Henry allait sortir et commencer sa chasse aux rats, se faufiler l'échine creuse à l'assaut des toits, escalader les immeubles, s'asseoir sur les appuis de fenêtre afin d'observer les humains endormis.

– Toi, à part dessiner, reprit Jackson, visiblement fatigué de parler de lui, tu fais quoi d'autre ?

– Du football, répondit Megan.

– Du football ? répéta-t-il en pliant les bras pour se faire un oreiller. Tu regardes, c'est ça ?

– Je joue.

– Mais tu es une fille ! Les filles ne jouent pas au foot, railla-t-il. Je me demande ce que Becky et Laura vont dire de ça ! Et Sardine, si on y réfléchit. Tu devrais avoir de vraies activités de fille, comme... je sais pas... t'occuper de fringues, de maquillage, faire les boutiques.

– Toutes les filles ne se cantonnent pas à ça !

– Ah bon ? Les filles que je connais ne jouent pas au foot.

Megan leva les yeux au ciel.

– Ce que tu peux être bouché... ! Moi, si !

Jackson digéra l'info dans un bref silence.

– Et ça marche ?

– En fait, j'étais la seule fille dans l'équipe du collège, répondit-elle. On s'en sortait pas mal.

Le son qu'émit Jackson sembla dire qu'il était impressionné.

– Tu dois être bonne, alors.

Toute combativité déserta brusquement Megan. À quoi bon évoquer une activité qu'elle ne reprendrait peut-être pas ? Elle n'avait jamais été si douée que ça et l'équipe ne s'empresserait pas de la réintégrer après une si longue absence.

– Je l'*étais*.

– Hé, y aura pas de souci, fit Jackson comme s'il avait lu dans ses pensées. Tu verras. Quand on nous laissera sortir d'ici pour de bon, moi je reprends la musique avec mon groupe et toi tu retrouves tes footeux.

Il bâilla et s'étira une nouvelle fois ; ses membres semblaient encore plus longs, plus souples, plus vigoureux. Il donna un petit coup à son pied à perf histoire de faire un peu de place.

– En fait, reprit-il, ils me relâchent. Demain.

– Tu rentres chez toi ? Pour de bon ?

Le cœur de Megan avait bondi. Comment parviendrait-elle au bout de cette semaine sans lui ?

– Nan. Retour d'ici quelques semaines.

Il y eut un silence. Megan le regarda. Il la fixait.

– Tu seras là ? ajouta-t-il.

– Peut-être.

Jackson ne dit rien en retour, comme s'il ne l'avait pas entendue, ou que la réponse lui était indifférente.

Ou peut-être s'était-il endormi. Il respirait lentement, régulièrement, émettant un petit ronflement occasionnel. Ses genoux posés l'un sur l'autre remuèrent légèrement tandis qu'il s'enfonçait davantage dans le sommeil. Son bras s'agitait par saccades. Megan observa le mouvement de sa poitrine, observa la façon dont la lune venait à sa recherche afin de reposer son éclat sur sa peau.

Il avait enlevé son chapeau et le tenait sur son ventre plat, ses longs doigts refermés sur le bord. Le couvre-chef respirait avec lui.

Megan bâilla. Ils auraient dû tous deux se trouver dans leur chambre. Si le personnel de nuit les découvrait ici, il y aurait du grabuge. Doublement. Mais si Jackson s'en fichait, elle s'en fichait aussi.

Elle se pelotonna confortablement. Paupières closes, elle se vit parcourir la ville en compagnie de Jackson, tous deux drapés de lumière. Ils marchaient loin et de plus en plus loin de l'hôpital, jusqu'à n'être plus que deux petites taches dans la nuit noire, qui avanceraient droit jusqu'à l'aurore.

7

Jackson repartait chez lui. Il était en train de rassembler ses affaires avec sa mère. Megan les laissa malgré son envie de rester avec eux dans la chambre. Ce qui était idiot. Elle-même rentrerait chez elle dans deux jours. Quelle mauviette de se laisser tournebouler. Elle était bien capable de veiller sur elle-même. Elle n'était pas une môme. Elle irait se balader toute seule, voilà.

Sauf que, peut-être, elle limiterait sa promenade au service plutôt qu'arpenter l'hôpital entier. Elle se sentait encore fatiguée. Il n'en fallait pas beaucoup pour lui donner envie de retourner s'allonger et dormir. Non que le sommeil fût d'un grand secours. Elle se réveillait encore exténuée.

Poussant son pied à perfusion le long du couloir, elle partit dans la direction opposée à la chambre de Jackson. Elle franchit la double porte qui menait à la salle commune occupée par la plupart des jeunes patients, et la première personne sur qui tomba son regard était Sardine.

Assise au milieu de son lit, la fillette avait le visage rouge, une expression orageuse. Siobhan se tenait auprès d'elle. Sa mère également ; elle ressemblait à peine à la femme qui s'était adressée à Megan l'autre nuit. On l'aurait dit tout juste sortie du lit après une semaine d'insomnie.

– En veux pas ! disait Sardine.

– C'est rien qu'un p'tit médicament. Pour que t'ailles mieux, rétorqua la mère. Siobhan l'a apporté exprès pour toi.

Sardine secoua la tête.

La mère fit une nouvelle tentative.

Sans résultat.

La scène avait un spectateur attentif en la personne d'un petit garçon couché sur le flanc et cramponné à un ours en peluche coiffé d'une minuscule coiffe d'infirmière brodée d'une grosse croix rouge. Les petits doigts potelés s'enfonçaient si profondément dans le ventre du nounours que celui-ci semblait plié de douleur.

– Ce n'est qu'une toute petite tasse, dit Siobhan. Quand tu l'auras bue, tu te sentiras mieux.

– Non. Veux pas.

– Mikey a pris son remède, lui. Pas vrai, Mikey ?

Le gamin au nounours acquiesça.

– Tu vois ! Et il se sent mieux. Hein, Mikey ?

Nouvel acquiescement. La coiffe de l'ours glissa.

Sardine tordit la bouche.

Le téléphone sonna au poste de soins. Un médecin,

occupé à feuilleter des papiers avec l'air d'en chercher un d'importance cruciale, décrocha et écouta.

– Pour vous, madame Brewster.

Il agita le combiné dans le vide et poursuivit sa recherche. Une infirmière apparut derrière lui et le déchargea du téléphone.

– Elle est occupée, je prends, dit-elle.

Dans l'intervalle, un bébé s'était mis à pleurer, sa mère lui caressait la tête en lui murmurant des mots apaisants. Un autre, un peu plus grand, frappait violemment le flanc de son lit avec Thomas le Petit Train qui, loin de s'émouvoir de ce traitement, conservait son sourire.

Une femme portant un badge « Kinésithérapeute » épinglé à sa tunique blanche était assise auprès d'un autre marmot qu'elle faisait inspirer et expirer, aidée par une souris en mousse posée sur la poitrine du jeune patient.

– Voilà, tu y es. C'est beaucoup mieux. Si tu respires bien à fond, la souris monte et descend. Tu vois ? Tu deviens un vrai trampoline !

Le bambin considéra la soignante avec un regard ébahi.

– Brave petit bonhomme ! Essayons encore un peu.

Puis Jackson apparut, debout à l'entrée de la salle.

Sans sa perfusion, vêtu d'une veste et d'un jean, un petit sac à dos sur l'épaule, il avait l'air normal. Non, pas normal. Il était renversant.

Le service entier parut se figer tandis que plusieurs

paires d'yeux se tournaient pour le regarder. Même le cliquètement régulier des machines sembla marquer une pause d'une seconde, comme pris au dépourvu.

Il est venu me dire au revoir, songea Megan, éprouvant à la fois un frisson de joie et un pincement de regret. Mais Jackson se dirigea droit vers Sardine, qui cessa aussitôt de geindre. Le garçon au nounours leva les yeux vers lui. Thomas le Petit Train s'immobilisa dans le vide. La souris en mousse continua de monter et descendre mais le marmot regardait à présent par-dessus l'épaule de la kinésithérapeute.

– Salut, Siobhan, qu'est-ce qu'on a là?

Jackson s'empara de la tasse contenant le médicament liquide, l'agita doucement sous son nez et ferma les yeux comme s'il respirait le parfum le plus délicieux.

– Mmmm, fit-il d'un ton appréciateur. Dominante fraise. Un soupçon de glace vanille...

Il rouvrit des yeux exorbités. Un éclat de rire fusa de quelque part.

– Je peux le boire, s'il vous plaît?

– Enfin, Jackson, répliqua Siobhan, tu sais que ce n'est pas pour toi. Rends-moi ça tout de suite. Tu as déjà tes remèdes à toi, à emporter à la maison.

Sa voix pétillante trahissait son amusement. Jackson la considéra avec sévérité.

– Vous avez l'intention de le boire vous-même, c'est ça? Incroyable! Une infirmière! Qui vole le médicament de Sardine?!

Il tenait haut la tasse, hors de portée de Siobhan.

Sardine observait, bouche bée, les yeux écarquillés. Sa mère s'assit avec un faible sourire et repoussa une mèche de cheveux qui lui barrait le visage.

– Je vais restituer ceci à sa propriétaire légitime, reprit Jackson.

Avant que Sardine n'ait le temps de réagir, il inclina la tasse vers sa bouche, la lui referma d'un geste doux et continua de lui tenir le menton afin de l'empêcher de recracher.

Le remède fut avalé.

Un nouvel éclat de rire fusa dans un coin. Thomas le Petit Train cogna contre les montants du lit. La souris en mousse monta et descendit. La coiffe du nounours glissa complètement.

– À la prochaine, Sardine ! Et si tu as de nouveau des soucis avec cette Siobhan qu'essaie de te piquer ton médoc en douce, viens m'chercher, ou dis-le à ma copine Megan.

Il s'approcha de Megan et la prit par l'épaule. Sa main était chaude, douce, gentille, pareille à la main d'une personne âgée, sage et bonne. L'espace d'un instant, Megan pensa qu'il allait l'embrasser. Devant tout le service. Comment réagirait-elle ? Elle le laisserait faire ? Elle leva les yeux vers lui, l'air de dire *Ça va, ça m'est égal si tu le fais*.

Mais Jackson se contenta de lui sourire.

– À une prochaine, peut-être.

Et il s'en alla.

Megan était assise à la table de pâte à modeler, en train de veiller sur le chat de Sardine. Sans qu'elle sache trop pourquoi ni comment, elle s'était en effet retrouvée à participer à la confection d'un Brian en pâte à modeler. Il était blanc comme neige avec des yeux bleus. Elles avaient à peine terminé leur œuvre que Sardine avait dû retourner au lit en prévision de la visite d'un groupe d'étudiants en médecine. Ça risquait de s'éterniser mais la fillette avait fait promettre à Megan de ne pas quitter le chaton miniature.

C'était la veille du retour de Megan chez elle, et elle trouvait étrange l'idée de se séparer de la perfusion et de son pied, ses compagnons permanents durant ce qui lui avait semblé une éternité, étrange également de se dire qu'elle pourrait à nouveau faire des choses ordinaires.

Des choses ordinaires. Lesquelles ?

Elle promena les yeux dans la salle. On entendait une comptine. Une mère et une infirmière chantaient sur la musique que diffusait un CD. Assis sur une couverture face à elles, un petit garçon les imitait. *Fronce le nez*, chantaient-ils. Le garçonnet fronçait le nez. *Passe les mains dans tes cheveux*. Il passait les mains sur son crâne chauve. *Mets-toi à gigoter, gigoter, gigoter*. Il battit des bras, fit tourner sa tête en explosant de rire, puis s'applaudit, satisfait de lui-même.

Sa peau était d'un jaune pâle et de petites plaies entouraient sa bouche, néanmoins il ne paraissait pas en souffrir plus que ça. Et lorsque la musique s'arrêta en fanfare et que les adultes applaudirent, il réclama à cor et à cri qu'on recommence.

On relança le lecteur de CD et la comptine recommença.

Lassée d'attendre Sardine et de regarder le garçonnet se trémousser sur son arrière-train, Megan entreprit de confectionner un environnement agréable pour le chaton Brian. Roulant la pâte à modeler en colombins marron pour les troncs d'arbres, aplatissant de petites pastilles vertes pour le feuillage, de petites billes rouges pour les pommes, elle fabriqua un jardin. Il s'épanouissait à l'intérieur d'une barrière blanche qui dominait une mare bleu ciel au milieu de laquelle barbotait un canard.

À chaque pièce, elle apporta un soin méticuleux : veinures sur les feuilles, grain rugueux de l'écorce sur les arbres, fines stries jaunes et vertes sur les fruits, si bien que l'ensemble s'avéra charmant et gai, étincelant de toutes les couleurs disponibles.

L'animatrice manifesta son approbation, tandis qu'un bambin se glissait hors de son lit, plantant là sa maman, pour venir admirer le jardin de plus près. Un autre apporta sa couverture, s'en cala un coin dans la bouche et resta à suçoter tout en suivant le travail en cours. Le propriétaire de Thomas le Petit Train se traîna au bout de son lit et regarda à travers les barreaux. Le garçonnet qui aimait les comptines fut bientôt amené par sa mère et accueillit cette nouvelle distraction d'un large sourire.

Si Jackson avait été là, il aurait sur-le-champ inventé une histoire avec toutes ces figurines aux couleurs éclatantes. En son absence, Megan fit ce qu'elle put.

Voici Brian qui vient de se réveiller de sa sieste.

Voici Brian qui va pêcher un poisson dans la mare.

Voici Brian qui grimpe à un pommier.

Sardine revint enfin de la consultation et exigea de voir son chat afin de s'assurer qu'il était sain et sauf. Sa mère était tenue de rester près de son lit.

Assez fière de son œuvre, Megan vint prendre la main de la fillette et lui dit de fermer les yeux.

Sardine ferma les yeux. Megan la conduisit à la table.

– Ouvre-les, maintenant.

Sardine battit des paupières sous l'éclairage, jeta un regard sur la nouvelle maison de Brian, et subitement son visage se métamorphosa en un masque plutôt vilain. Poussant un hurlement, elle fondit sur le jardin, écrasant les arbres du poing, écrabouillant tout le joli paysage.

– Non ! criait-elle à chaque coup asséné. Non. Non. Non.

Il ne fallut que quelques secondes pour transformer l'univers multicolore de Brian en un terrain vague marronnasse.

Six paires d'yeux s'étonnèrent, observant avec curiosité le désordre sur la table et la destruction du jardin. La maman de Sardine s'approcha, lentement, comme si ce genre de chose se produisait fréquemment.

Déroutée, Megan ne sauva le chat que de justesse.

– Qu'est-ce qu'il y a ? Je pensais que ça te plairait. C'est à Brian que ça ne plaît pas ?

Elle agita le chat devant le visage de Sardine qui s'était tavelé de rouge sous l'effet de la colère.

– Non. Il déteste !

Sardine arracha le chat en pâte à modeler de la main de Megan, le jeta au sol et, de son peton coquettement chaussé de rose scintillant, l'écrasa.

Megan demeura bouche bée et sans la moindre idée de ce qui avait pu clocher. Des infirmières arrivèrent au pas de course. L'animatrice entreprit de nettoyer les dégâts.

– Allons, ma chérie, disait sa maman à Sardine. Megan a passé tout ce temps à le fabriquer. Rien que pour toi. C'est pas une gentille façon de la remercier.

– J'en veux pas ! C'est nul !

– Ça va, tempéra Megan. Je l'ai fait parce que je m'ennuyais. Pour m'amuser. Et puis ce n'était pas très réussi.

Sardine restait à contempler le gâchis et se mit à pleurer.

Sa mère la prit par la main.

– Viens, chérie. Il est temps de se reposer, je crois.

Après s'être finalement laissé persuader de regagner son lit, Sardine s'y roula en boule, pleurant toujours, comme si le monde, une fois encore, venait de s'effondrer autour d'elle pour devenir aussi plat, sale et moche que le jardin de Brian.

Plus tard, la mère de Sardine frappa à la porte de Megan.

– Je suis venue pour m'excuser.

– Ce n'est pas grave. Sincèrement.

– Je sais pas ce qui lui prend dans ces cas-là. Elle est bien, mignonne, et l'instant d'après... Elle croit qu'elle peut faire c'qui lui chante. Ça me met dans d'ces colères...

– C'est le fait d'être ici, dit Megan en souriant. C'est le traitement et le reste. Je regrette de ne pas être comme elle par moments. Puis peut-être a-t-elle trouvé que j'avais mis trop d'arbres dans le jardin. Brian aurait pu grimper à n'importe lequel et se perdre. Sans pompiers pour venir le secourir.

La mère de Sardine secoua la tête mais émit un semblant de rire.

– T'es un peu loufoque, comme ce grand benêt de Jackson. Mais merci quand même. Elle t'aime bien, comme elle l'aime, lui. Tu vas lui manquer quand tu seras partie.

Une ombre passa sur son visage, un nouveau souci.

– J'ferais mieux d'y retourner. Dieu sait dans quel état elle se sera encore mise.

– Elle va bientôt rentrer à la maison?

La femme serra les lèvres et parut devoir réfléchir à sa réponse.

– Ils ont encore quelques trucs supplémentaires à essayer. Faut lui transfuser tout le sang et, bah, qui sait. Prends soin de toi, ma belle.

Le lendemain matin, Megan se tenait dans la salle d'attente des visiteurs avec sa valise tandis que sa mère s'entretenait avec Mme Brewster. Son lit avait été défait, le placard vidé, le moindre indice du séjour de Megan Bright en ce lieu durant près de cent vingt heures avait été effacé, comme si un gigantesque aspirateur était venu tout avaler.

Cent vingt heures.

Et il n'avait fallu qu'une demi-heure pour préparer la chambre à recevoir le patient suivant.

Elle rentrait à la maison.

Gemma et les Jumelles, maintenant qu'elles savaient son retour imminent, la bombardaient de textos comme si le SMS venait d'être inventé. Les Jumelles écrivaient qu'elles *mouraient* d'envie de la voir. Quel drôle de mot. Vu les circonstances. Elles réclamaient des détails sur les médecins. Les médecins mâles, il faut le préciser. Et avait-elle flashé sur l'un d'eux? Ce qui révélait tout d'elles.

☺☺☺☺☺☺☺☺☺☺ arriva de la part de Gemma, ce qui révélait tout d'elle.

– Eh bien, Megan.

L'infirmière chef se tenait sur le seuil de la salle d'attente. Elle paraissait encore plus grande – peut-être à cause des sièges bas.

– Ta prochaine date est fixée, nous t'attendrons donc. Tu as des questions?

– Est-ce que Jackson sera là quand je reviendrai?

Pourvu qu'il revienne à ce moment-là. Si le cancer ne la terrassait pas, l'ennui serait capable de s'en charger.

– Ma foi, je ne saurais dire, répondit Mme Brewster.

Je sais que le service n'est pas le même quand il n'est pas là, ajouta-t-elle face à la déception manifeste de Megan. L'ambiance est plus monotone, c'est sûr, mais ne t'inquiète pas, tu le reverras ! Il ne cesse d'entrer et de sortir.

Elle joignit les mains. Le sujet Jackson était clos.

– Alors, retour au bercail ! Tu es contente ?

– Ça va être super de retrouver mon lit.

Megan essaya de se remémorer sa chambre à la maison et s'en trouva incapable. À croire qu'elle s'était absentée des années au lieu de quelques jours.

Elle ne parvenait pas à se rappeler la couleur des murs, ou de sa couette. Ni les rideaux ni les posters. C'était bouclé quelque part dans sa tête et ça ne ressortait plus.

Peut-être à cause de la tumeur.

Paralysie du cerveau. Perte de mémoire.

– J'ai hâte de la ramener, intervint sa mère avec un sourire. Et la maison sera pleine !

– Comment ça ? demanda Megan.

– C'est un secret...

Un léger brouhaha attira leur attention vers la porte. C'était Sardine. Elle portait un chapeau en laine rouge vif. Sa mère la poussait dans un fauteuil roulant bleu.

– Megan s'en va ?

– Oui, répondit l'intéressée en allant vers la porte.

Sardine semblait minuscule, la peau presque translucide à force de pâleur.

– J'allais venir te voir, te dire au revoir. Où tu vas ?

– Elle a une...

– M'man ! Megan est *mon* amie, coupa Sardine d'une voix tranchante.

Sa mère regarda ailleurs, rougissante.

– J'ai une séance de rayons, reprit Sardine.

Donc au moins, elles étaient toujours amies – Megan était pardonnée d'avoir créé un jardin avec tant d'arbres, au risque d'aviver la soif d'aventure du chaton Brian. S'il s'agissait de cela. Elle était absoute du crime d'avoir essayé d'égayer une fillette et d'avoir échoué lamentablement.

– Une séance de rayons ? On sait que c'est...

– Assommant.

– Bon, dit gaiement Mme Brewster, Megan doit rentrer chez elle maintenant, Sardine. File !

La fillette fit au revoir de la main et ordonna à sa mère de la pousser dans le couloir.

8

Il y avait des ballons accrochés à la porte. Trois ballons jaunes sur lesquels était écrit au gros feutre *Bienvenue*, *À la maison*, et *Megan*. Sa mère rayonnait mais s'écarta avec un clin d'œil.

– Je précise que ce n'est pas une idée à moi.

– Qui, alors ? Papa ? Il est revenu ?

– Il a obtenu un congé et il sera là dans deux jours, mais non. Ce n'est pas son idée non plus. Tu vas devoir attendre pour savoir. Rentrons les affaires. Passe devant. Et je veux que tu t'allonges sur le canapé. Tu as l'air fatiguée.

– Ça va.

– Pas de discussion. Je porte ta valise.

Megan ouvrit la porte et l'odeur familière des lieux la frappa. L'assouplissant à la lavande qu'utilisait sa mère pour la lessive, la cire qu'elle vaporisait sur les meubles. Tout étincelait de propreté comme pour l'arrivée d'un invité de marque.

Avait-elle fait tout ça pour elle ? Pour son retour ?

Megan regarda le canapé. Il y avait déjà dessus un oreiller et une couverture. Sur la table basse, ses DVD de *Friends*. Un sachet de ses bonbons préférés. Qui l'attendaient.

Oh, maman.

Pourtant elle était perplexe. Ne lui avait-on pas promis une « maison pleine » ?

– Veux-tu un thé ? lança sa mère depuis la cuisine. Un chocolat chaud ?

– Non merci.

– Un jus de fruits ?

– Ça va, maman.

Debout au milieu du salon, Megan prêta l'oreille aux multiples bruits de la maison. Elle entendit des enfants qui jouaient dans le quartier, leurs cris perçants, les éclats d'une dispute. Elle entendit aussi le son d'un ballon qui rebondissait régulièrement. Elle gagna la fenêtre. Les trois mômes des voisins jouaient avec les deux du 5. Ils s'amusaient au milieu de la rue quand, avertis par l'aîné, ils s'éparpillèrent tels des oiseaux. La voiture des Baker arrivait, qui se gara au numéro 19.

Megan venait à peine de commencer à faire du babysitting pour les Baker quand ses vertiges avaient mis fin à cette activité. Les Baker lui avaient envoyé une carte de la part de leur fillette de deux ans et demi, un gribouillis évidemment dépourvu de sens au verso d'une chiffonnade de ruban en papier. Elle l'avait mis à la tête de son lit à l'hôpital, avec les autres. Comme elle avait utilisé une pâte adhésive bleue pour les fixer, de petites marques azurées étaient restées sur le mur lorsqu'elle les avait ôtées ce matin. Il n'était pas certain que l'équipe de nettoyage ait pensé à les lessiver.

Les enfants étaient dix dehors à présent. Megan se surprit à se demander combien d'entre eux atterriraient à l'hôpital avec un cancer, ou si elle serait la seule du coin.

Eeeny. Elle pointa l'index sur la vitre en direction du blondinet bouclé. Miny. La petite rouquine. La brunette à longues tresses s'appelait Mo... La voiture du numéro 7 déboucha de son allée privée. Une voix juvénile lança un avertissement, les enfants s'égaillèrent.

Et soudain Gemma poussa la porte. Oui, c'était bien Gemma qui souriait et se jeta sur Megan avec un « salut ! » enthousiaste, comme si elles n'avaient pas été séparées, comme si elle ne s'était pas *abstenue* de venir à l'hôpital. Comme si Megan n'avait pas vécu cent vingt heures sans amie.

Les Jumelles restaient en arrière, deux biches effarouchées.

C'était donc ça, la *maison pleine*.

– Salut, Megan. Comment te sens-tu ? (C'était Frieda.)

– Bien ? Mal ? Tu te sens mal ? Tu as l'air bien. (Stacey.)

Toutes deux affichaient une mine concentrée et presque douloureuse derrière leur frange, comme si prononcer ces quelques mots leur était très difficile, comme si elles n'étaient pas accoutumées à parler. (Les Jumelles ? Pas habituées à parler ?)

– Ça va, répondit Megan. Vous n'entrez pas?

Elles se glissèrent dans le salon. Elles se ressemblaient tellement que même leurs mouvements et leurs émotions semblaient synchronisés. Aujourd'hui, elles paraissaient terrifiées; leur façon de considérer Megan aurait pu faire penser qu'elles se trouvaient face à une bombe près d'exploser ou à une pestiférée.

Gemma lui toucha le bras d'un de ces gestes paisibles qui la caractérisaient.

– C'était affreux? demanda-t-elle.

– Non, pas vraiment... C'était...

– On regrette de ne pas être venues te voir, mais voilà... On a apporté les ballons. Ils t'ont plu?

Stacey avait l'air de penser que les ballons n'étaient pas une si bonne idée. Megan essayait de répondre quand Frieda se lança :

– Quand est-ce que tu reviens en classe? Parce que tu as manqué *tout un tas* de cours importants. Ils t'ont fait passer du travail? Tu seras là demain?

Elle s'effondra sur une chaise.

Il y eut un silence d'une seconde, dont Megan regretta la brièveté. Elle aurait aimé les voir partir.

– N'importe quoi, elle ne va pas revenir *demain*, embraya Stacey, s'affalant à son tour sur une chaise. Elle sort tout juste de l'hôpital!

– Oui, mais demain y a EPS, s'entêta Frieda, rendant à sa sœur son mépris. Et on sait que Megan adore! Le foot...

Deux regards interrogateurs se fixèrent sur l'intéressée.

Gemma ne disait rien, se contentant de jouer avec sa boucle d'oreille.

– Je ne crois pas, dit Megan. J'ai encore le truc à perf...

– Où ? voulurent savoir les Jumelles.

Megan désigna sa clavicule.

– Là. Je dois le garder jusqu'à la fin du traitement. Il ne faut pas le mouiller.

– Pouah !

Il y eut un échange de regards entre les Jumelles.

– Parce que... c'est pas terminé ? (Frieda.)

– Ils t'en ont pas débarrassée ? (Stacey.)

– Elle n'en est qu'à son premier traitement, s'agaça Gemma. Ils nous l'ont dit au collège, rappelez-vous !

– Vraiment ? fit Megan.

Puis elle se souvint : sa mère avait prévenu l'administration. La pensée de retourner en classe avec tout le monde au courant...

– Mme Delaney a eu un cancer et elle a dû subir plein de traitements. Ce sera peut-être pareil pour toi. C'est ce qu'elle nous a expliqué. Rien qu'à nous, précisa Gemma en jetant un coup d'œil à Megan. À la classe, quoi.

– Elle a perdu ses cheveux, dit Frieda en lançant un coup d'œil en direction de Megan.

– On l'aurait pas cru, enchaîna Stacey. Je n'ai rien remarqué. Les cheveux de Mme Delaney ont toujours été une abomination.

Nouveau regard en coin vers Megan.

Même Gemma semblait curieuse.

– Ce sont toujours les miens, dit Megan en tirant sur une mèche.

Les Jumelles poussèrent un soupir de soulagement.

– Bien, dirent-elles en se levant de concert. On doit y aller maintenant. Maman nous a dit de pas rester trop longtemps. Pour ne pas te fatiguer.

Le cadeau qu'elles avaient apporté fut exhibé en grande pompe. Une boîte de chocolats. Megan dut sourire.

– Donc, quand est-ce que tu reviens en classe ?

– Sais pas. Peut-être la semaine prochaine. J'ai le travail qu'ils m'ont envoyé.

– Si tu en veux plus, je peux te l'apporter, offrit Gemma. Quand tu veux.

Les Jumelles étaient à la porte.

– Tu ne nous as pas répondu pour les médecins. Il y en a des mignons ?

Megan passa mentalement le personnel en revue. Les portraits qu'elle en avait croqués. Le cancérologue Grenouille, le grand dégingandé avec les cheveux pleins d'épis qui lui donnaient l'air d'une balayette.

– Ouais. Des tas, dit-elle. À condition d'être gravement en manque.

Il y eut un délicieux moment de silence après que la porte d'entrée se fut refermée – *bang !* – derrière les Jumelles. La maison entière parut souffler, puis les bruits ordinaires revinrent. Sa mère dans la cuisine. La pendule sur le manteau de cheminée.

Megan se pelotonna sur le canapé avec Gemma et

elles regardèrent deux épisodes de *Friends*. Elles rirent aux passages qui les avaient toujours fait rire et cependant ça ne paraissait plus si drôle. Plus du tout. Les personnages étaient confrontés à des problèmes stupides, dignes du courrier du cœur. Rien n'était vrai.

– Tu es fatiguée ? s'enquit Gemma. Je peux m'en aller.

Megan éteignit la télé.

– Je ne sais pas. J'ai l'impression d'avoir été frappée par un truc très gros et très rapide.

– Ça pourrait être les Jumelles, pouffa Gemma.

Megan sourit mais, en effet, elle était très lasse. Elle ferma les yeux et se demanda que faire le reste de la journée, le reste de la semaine, et toutes les semaines jusqu'à ce qu'elle retourne à l'hôpital et revoie Jackson.

Tout s'embrouillait. Elle aurait voulu ne jamais y retourner mais où le revoir, sinon ? C'était comme d'observer un gros nuage noir qui approche, approche, et de vouloir qu'il arrive, de vouloir qu'il pleuve à verse, directement sur toi, parce que alors tu sentirais la pluie, tu la sentirais sur ta peau, dans tes cheveux, et ça, ce serait vrai.

– Je ne pense pas pouvoir retourner au collège. Pas encore. J'aurais l'impression d'une classe *pleine* de Jumelles.

– Ça va ? s'inquiéta Gemma. Je vais chercher ta mère ?

Non, pas elle. C'était Jackson qu'elle voulait.

– Ça va. Mais je crois que j'ai besoin de dormir. Ça ne te fait rien ?

– Bien sûr que non. Je m’en vais. Je t’appelle plus tard ?

Gemma la serra fort dans ses bras. Trop fort, comme si elle se forçait.

– C’est moi qui te téléphonerai, dit Megan. Je suis tellement claquée que je vais peut-être dormir jusqu’à demain.

Ou peut-être jusqu’au retour à l’hôpital. Jusqu’à revoir Jackson.

9

Or ce ne fut pas avant son troisième traitement qu'elle put revoir Jackson et lorsqu'elle découvrit sa présence dans le service, dans son ancienne chambre, comme s'il ne l'avait jamais quittée, Megan eut du mal à réprimer son sourire. C'était bien. Ce sentiment. Le simple fait de le revoir.

Sans lui, son deuxième séjour à l'hôpital avait été plus que pénible. Rentrer ensuite à la maison n'avait pas été mieux, ni le retour au collège où elle avait dû subir les jacasseries habituelles des Jumelles sur les fringues, leur envie de piercing dans le nombril et le nouveau prof de maths qui était *trop craquant*. Et Gemma les imitait, à croire que ses préoccupations étaient aussi futiles. C'étaient des conneries. Tout.

Mais enfin elle était là, maintenant, essayant de persuader Jackson de se laisser dessiner.

– J'ai fait le portrait de presque tout le monde dans le service. Tu veux voir ?

Il ne manifesta aucun intérêt. Il restait allongé sur

son lit, les paupières closes. Et il ne semblait pas si heureux que ça de la voir.

Pour la première fois, Megan se demanda s'il avait une petite amie, une fille qu'il aurait revue quand il était chez lui, une fille charmante, en bonne santé, qui ne serait pas atteinte d'un cancer. Quelqu'un qui ne lui rappellerait pas ce dont il souffrait.

Peut-être la maladie te faisait-elle imaginer que les gens t'aimaient plus qu'en réalité. Megan tenta de chasser cette idée.

– Bon, je peux te dessiner?

– Faut que je bouge?

– Non, répondit-elle dans un rire.

– Alors d'accord.

Papy lui avait demandé si elle progressait. Puisqu'elle ne pouvait pas jouer au foot, disait-il, qu'elle dessine le plus possible. Elle pourrait devenir une artiste correcte, à condition de s'entraîner. Et il tenait à voir quelques-unes de ses œuvres – elle devrait lui en envoyer. Elle pourrait lui poster ce portrait-là, celui de Jackson.

Mme Brewster vint jeter un coup d'œil dans la chambre.

– Ah, tu es là, Megan, fit-elle en souriant aux deux adolescents. Ravie de te revoir. Qu'est-ce que tu fais?

– Jackson n'est pas marrant comme modèle, répondit Megan en désignant son carnet à croquis.

Cela ne parut pas étonner l'infirmière.

– Pour ma part, je suis contente de vous voir ensemble, parce que, Jackson, si tu envisages d'aller te balader...

– Oui, grogna Jackson sans ouvrir les yeux. Eh bien ?

– ... Je te serais très reconnaissante de simplement nous en aviser. Je sais que nous avons mené une petite vie pépère dans le service ces dernières semaines, puisque tu étais chez toi, mais ça tombait bien, nous préférons justement nous la couler douce... Et puis, emmène donc Megan. Elle préviendra les dérapages.

Il y eut un silence. Un regard éloquent.

Megan se demanda où voulait en venir l'infirmière chef.

– Alors, qu'en dis-tu ? Ça peut te convenir ?

Jackson ne répondit pas. Soit il n'avait pas envie de parlementer maintenant, soit il se cabrait à l'idée qu'une compagnie quelconque l'encombre dans ses périples.

Durant quelques secondes, Megan pensa qu'il allait refuser. Elle donna une discrète poussée au pied de son lit.

– D'accord, soupira-t-il sans prendre la peine de dispenser son fameux sourire destiné à arrondir les angles. On ira se balader plus tard... dans la partie ancienne. Megan ne l'a pas vue.

– Très bien, mais ne soyez pas trop longs. Pensez que nous n'avons ni le temps ni le personnel pour partir à votre recherche.

L'infirmière s'en alla.

– Oui, dégage, Booster, maugréa Jackson.

Megan eut l'impression que le véritable sens de la conversation lui avait échappé.

– Qu'est-ce qui ne va pas ? demanda-t-elle.

Jackson secoua la tête sans rien dire et fixa le plafond.

– Elle met les choses au point, c'est tout, continua Megan.

Toujours pas de réponse.

– Il s'est passé quelque chose ?

– Rien. Il ne s'est rien *passé*.

Silence.

Megan promena les doigts sur la tranche de son carnet à croquis. Les pages en étaient nombreuses. L'ensemble constituait un objet solide, sérieux, fiable. Pareil aux arbres. Aux rochers.

Qu'est-ce qui clochait chez Jackson ?

– La dernière fois que j'étais ici, reprit-elle, consciente de bafouiller à moitié, il n'y avait personne. Personne à qui parler. Siobhan était en congé. Il y avait de nouvelles infirmières. De nouveaux patients. La totale. Je pensais voir Becky et Laura mais elles n'étaient pas là non plus parce que le petit frère était reparti à la maison, et Sardine même chose. Mais elle est revenue. Je crois.

Bien qu'il parût ne pas écouter, Jackson tourna les yeux vers elle.

– Tu as fini par retourner en classe ? demanda-t-il.

– Un peu. Après mon deuxième traitement. On s'habitue à la chimio ? Je ne me suis pas sentie aussi crevée la dernière fois.

Elle ne reçut pas de réponse.

– De toute façon, je n'y allais que par demi-journées.

Elle avait détesté. Chaque seconde. Le premier jour où

sa mère l'avait déposée au collège, elle avait failli paniquer. Pétrifiée sur son siège.

Ça ne s'était guère amélioré.

– J'avais ma copine Gemma. Elle était super, mais on n'a pas tout le temps les mêmes cours, et puis il y a Stacey et Frieda... Elles sont sympas, mais elles te considèrent comme... je sais pas... une espèce d'animal de zoo. Les autres pareil. Ils attendent que mes cheveux tombent, ou deviennent verts.

Jackson hocha la tête, l'air de connaître ça par cœur.

– J'étais contente de revenir. Ça paraît dingue mais c'est la vérité.

Dans le service, peu importait la tête que tu avais, ou que tu te sentes mal fichu. Tout le monde était logé à la même enseigne.

– Et toi, tu es allé en cours?

– Vaguement. Mais je fais toujours des allers-retours. Ils sont habitués. Et je ne me tue pas au boulot. On ne m'oblige pas. Le cancer a ses bons côtés.

Megan guetta l'un de ses sourires. Qui ne vint pas. Quelque chose palpita tout au fond d'elle. Qu'est-ce qui n'allait pas chez lui? Pourquoi était-il de cette humeur de chien?

– Quelqu'un m'a demandé si j'étais enceinte, dit-elle en espérant susciter un sourire, puisque j'avais été absente si longtemps.

Encore du silence. Megan observa Jackson. Elle l'ennuyait, c'était clair. Il ne souhaitait pas sa présence.

Elle rassembla ses affaires et se mit debout, s'efforçant

de ne pas se rappeler qu'un jour il l'avait embrassée comme s'il l'aimait bien, s'efforçant de ne pas se sentir blessée.

– Tu passeras me chercher? demanda-t-elle. Plus tard? Si tu te sens bien?

Elle attendit à la porte. Que ferait-elle s'il disait non? Jackson finit par lever la tête.

– Ouais. Sans faute.

La partie ancienne de l'hôpital semblait se résumer à des couloirs carrelés en vert. C'était un labyrinthe. Les murs étaient percés de hautes fenêtres pourvues de rebords sur lesquels on aurait pu s'asseoir tant ils étaient larges. À travers les petits carreaux, par lesquels on distinguait maints bâtiments en briques rouges, de tailles et de formes multiples, perçait à grand-peine la triste lumière d'après-midi.

Megan et Jackson laissèrent à droite et à gauche de sombres passages dotés d'entrées voûtées qui évoquaient des tunnels. Le sol du couloir s'infléchissait lentement vers ses diverses destinations. Des panneaux indiquaient « Rhumatologie », « Endocrinologie », « Pathologie », « Hématologie ».

Jackson se taisait. Il était venu chercher Megan dans sa chambre, comme promis, annonçant qu'il partait en balade et l'attendait. Elle avait été contente, lui avait pardonné sa mauvaise humeur, mais finalement ce n'était pas marrant. Il ne désirait pas vraiment sa compagnie, il ne faisait ça que parce que l'infirmière chef le lui avait ordonné. C'était clair.

– Où va-t-on exactement ? questionna Megan.

– Sais pas, répondit Jackson. J'suis encore jamais allé au bout de ce couloir.

Ils marchaient depuis un moment, poussant devant eux leurs pieds à perfusion.

Un médecin les dépassa, marchant à grandes enjambées, un stéthoscope autour du cou, les pans de sa blouse blanche claquant dans son sillage. Il semblait dans un monde à part. Cinq minutes plus tard, ils croisèrent une femme qui, comme sortie du néant, avançait laborieusement à l'aide d'une canne. Elle était boulotte, avait des poils au menton, une touffe de cheveux blancs, et une expression d'égarement total.

– Dites, mes agneaux, ce serait par là le service des yeux ? s'enquit-elle d'une voix sifflante. J'ai dû me tromper de chemin.

Megan regarda Jackson qui secoua la tête.

– C'est l'opfimologie que j'cherche, insista la vieille femme en brandissant sous leur nez un carton de rendez-vous.

– Oph-tal-mologie, déchiffra Megan.

– C'est ça, mignonne. Opfimologie.

– Il y a écrit que c'est dans l'aile Spencer... C'est où, ça, Jackson ?

Celui-ci commençait à s'éloigner, comme obnubilé par un couloir dont il n'avait jamais atteint le bout.

Une femme habillée chic arriva, les cheveux nattés en

une grosse tresse argentée, un badge administratif au revers de sa veste. Elle savait où se trouvait l'aile Spencer.

– C'est pour cette dame, expliqua Megan. Nous, on sait où on va.

– Mais le service pédiatrique se trouve à l'autre bout de l'hôpital, non?

C'était plus un constat qu'une question, et suggérait que cette femme, forte de son badge professionnel, les soupçonnait de quelque manigance.

– Que faites-vous si loin? Ne serais-tu pas le garçon qui...?

Elle considérait sévèrement Jackson.

Megan se rembrunit. Le garçon qui quoi?

La dame qui cherchait l'ophtalmologie eut un nouveau sourire hagard.

– Voulez-vous bien me montrer où je dois aller? supplia-t-elle. Je vais être en retard.

Une expression fugitive passa sur le visage de la femme badgée; il semblait qu'elle aurait eu beaucoup à ajouter. Mais elle n'avait plus le temps. Elle se tourna vers la vieille dame perdue.

– Je vous y conduis, madame.

Elles s'éloignèrent, non sans qu'au préalable la femme à la tresse argentée ne gratifie Megan et Jackson d'un nouveau regard soupçonneux.

– Quelle fouineuse, commenta Megan, avec son porte-documents et tout. C'est sans doute un genre de secrétaire.

– Ou une vide-pots.

Megan regarda Jackson. Il souriait enfin. Largement.

– Elle récure les chiottes, conclut-elle.

Tandis qu'ils progressaient dans le couloir, le statut de la tresse argentée continua de dégringoler jusqu'au rang de déjection de cafard – ils en restèrent là.

C'était fatigant cette marche sans but. Megan vit luire de minces filets de transpiration sur la peau de Jackson. Il avançait plus lentement, avec moins d'assurance qu'auparavant.

– Tu te sens bien ?

– Nouveau traitement, lâcha-t-il en guise de réponse.

Megan fut contente d'apercevoir deux chaises à l'extérieur de la lingerie.

– On est allés trop loin.

La perspective du retour commençait à l'inquiéter. L'idée de retrouver la sécurité du service était si séduisante qu'elle aurait aimé pouvoir faire du stop et s'installer dans l'une de ces voiturettes plaintives que conduisaient les livreurs de repas.

– De quoi elle parlait, la bonne femme ?

– Qui ?

– La femme à la natte. Elle t'a demandé si tu n'étais pas le garçon qui... Qui a fait quoi ? Tu t'es encore attiré des ennuis ?

Le visage de Jackson se ferma brusquement.

– D'accord, OK. Je ne veux pas savoir. Ça ne me regarde pas.

Par la suite, alors qu'ils étaient encore assis, Jackson avait continué d'osciller d'une humeur à l'autre. Un papillon. Ayant enfin retrouvé sa gaieté, il parla à Megan de son arrière-grand-père trompettiste. Il s'interrompit en pleine phrase et ôta le fameux chapeau de sa tête afin de l'examiner.

– Qu'y a-t-il ? questionna Megan.

– Rien. Mais tu ne le trouves pas cool, ce chapeau ?

Il était vieux, plutôt avachi et crasseux, sûrement pas « cool ».

– C'est, genre, je le porte et le vieux est là, tu vois ? Comme sa musique est toujours là.

– Dans le chapeau ? dit Megan, faisant mine de regarder à l'intérieur.

– Comme s'il n'était jamais vraiment parti. Comme s'il était toujours là.

– Une espèce de fantôme, tu veux dire ?

– Ouais, c'est un peu ça, répondit Jackson après un silence.

– *Houhouhou.* Raconte une histoire qui fait peur, Jackson, chantonna-t-elle en singeant une gamine de neuf ans.

Il la regarda comme si elle cadrait parfaitement avec le personnage.

– Alors, quel âge tu as dit pour ton grand-père à toi ?

Le papillon s'était remis à voleter. De fleur en fleur. Sans jamais rester tranquille.

– Il a cent piges, par là ?

– Presque. Il aura quatre-vingt-seize ans à son prochain anniversaire.

– Waouh ! Une vraie antiquité. Mon arrière-grand-père aurait cent ans aujourd'hui s'il n'était pas mort.

L'idée n'était jamais venue à Megan que Papy fût particulièrement *antique* ; vieux, oui, plus que les grands-pères des autres, et après ? C'était Papy, point à la ligne.

– Inimaginable, poursuivait Jackson. Il a près de cent ans et toi, quoi, quinze ?

– Quatorze. Presque quatorze, précisa Megan, flattée qu'il l'eût crue plus âgée.

Il regarda le plafond, hochant la tête comme s'il comptait ou chantait pour lui-même, accompagné par son étrange musique intérieure.

– Et ta mère, elle a quoi ?

Megan calcula mentalement.

– Quarante-sept, bientôt. Elle dit que Papy s'est marié tard.

– La classe !

– Quoi ? Se marier tard ?

Jackson la considéra avec le plus grand sérieux.

– Tu racontes pas des craques, hein ?

Megan secoua la tête, se demandant où il voulait en venir.

– Il était donc encore opérationnel à près de *cinquante* piges.

Megan mit une ou deux secondes à comprendre.

– Jackson !

Il sourit et boxa le vide.

– Bah quoi, il assure !

– Arrête ! protesta Megan en se cachant le visage dans les mains, ses cheveux cascadant de part et d'autre. Tu parles de mon grand-père !

Puis elle se mit à rire, malgré elle. C'était terrible d'évoquer Papy en train de faire *ça*, mais elle ne pouvait réprimer son hilarité. Elle eut bientôt mal aux côtes, la figure brûlante, les yeux larmoyants, mais ça faisait tellement de bien de retrouver le Jackson blagueur.

Lorsqu'elle fut capable de le regarder sans pouffer de rire, il la contemplait, les paupières mi-closes, un sourire aux lèvres, l'air de connaître tout de ces choses, et l'air d'y songer à cet instant précis.

Elle se passa une main dans les cheveux afin de dégager sa joue. Peut-être allait-il l'enlacer à nouveau, ici, au beau milieu du couloir, avec les gens qui sortaient de nulle part. Elle soutint son regard. Ça lui serait complètement égal, même si l'hôpital entier défilait. S'il le voulait. Elle ne l'en empêcherait pas.

Il continuait de sourire, comme s'il avait toujours su.

Le front de Megan se plissa, son cœur marqua un léger arrêt. Il y avait un truc bizarre. Elle observa sa main un long moment, rechignant à comprendre. Un petit enchevêtrement de cheveux était coincé entre ses doigts.

Durant un bref instant, elle se demanda d'où ça sortait, à qui cela appartenait.

Puis elle comprit.

– Jackson ? murmura-t-elle, tremblante.

Elle leva la main et vit mourir le sourire de son compagnon.

– Bon, déclara celui-ci. Retour au service.

D'une poigne assurée, il la fit lever de sa chaise. Megan regarda les mains noires refermées sur les siennes, qui semblaient pâles et minuscules. Faiblardes. Elles ne lui appartenaient plus. Elles étaient à lui désormais, plus à elle. Rien ne lui appartenait plus.

Tout ce qui la constituait la désertait, comme aspiré par l'extérieur, et elle en restait flageolante, des genoux jusqu'au ventre, jusqu'au cœur. Même sa respiration sortait en petits morceaux épars.

– Ça va aller, dit Jackson d'une voix douce et sûre, en lui pressant la main. C'est ce qui arrive avec la chimio.

Un groupe de jeunes médecins apparut, ricanant telle une bande de mouettes. Ils avaient tous des cheveux, eux, de toutes les couleurs, épais, brillants. De ces chevelures drues dans lesquelles on peut passer la main sans dommage. Vraies. En bonne santé.

Pas un chauve parmi eux.

Leurs chemises semblaient neuves, à peine sorties du magasin, impeccablement glissées dans la ceinture, rien dans leur allure n'était négligé. À leur cou, les stéthoscopes brillaient ; des blocs-notes gonflaient les poches de leurs blouses.

Tout chez eux rutilait et respirait le neuf. On aurait dit des voitures dernier modèle dans un hall d'exposition, celles dont tout le monde a envie.

Megan se sentit pleine de bosses et d'éraflures. La

bagnole que personne ne voudrait acheter. Comment osaient-ils rire alors qu'elle perdait ses cheveux ? Ne voyaient-ils pas qu'elle avait un cancer ? Ne voyaient-ils pas ce qui se passait ? Quel genre de médecins étaient-ils, à ne rien remarquer ?

– Des étudiants, commenta Jackson, les suivant des yeux tandis qu'ils tournaient à l'angle et disparaissaient dans un dernier éclat de blouse blanche claquant comme une aile. Ils traînent en bande.

– Allons-y, dit Megan, toujours cramponnée aux mains de Jackson.

Elle aspirait à retrouver la sécurité du service, le confort de sa chambre. Elle voulait se cacher sous la couverture et ne jamais ressortir.

– S'il te plaît, Jackson. Rentrons vite.

Elle parvint à ne pas pleurer pendant le trajet. Elle parvint à mettre un pied devant l'autre et à ne penser à rien. Elle parvint à maîtriser sa respiration. Pire que les exams. Pire que le dentiste.

Ils regagnèrent le service sans guère parler.

Megan fut presque heureuse de voir les ongles de pied roses de l'éléphant, presque heureuse d'entendre un bébé brailler et un téléphone sonner.

Puis il y avait Siobhan.

– Alors, vous deux...

L'infirmière s'interrompit, regardant leurs mains jointes.

Megan essaya de libérer la sienne mais Jackson ne l'en serra que davantage. Levant les yeux vers son visage, elle lut le défi dans le pli de sa bouche et le regard qu'il abaissait vers Siobhan.

– Enfin de retour? Je crois que la chef vous attendait un *tantinet* plus tôt...

Jackson allait parler, elle l'en empêcha.

– Ne me dites pas où vous étiez. J'aurai seulement à le signaler. Et la prochaine fois... ne restez pas absents si longtemps.

Dans le silence, tous trois se regardèrent sans savoir que dire. Siobhan finit par leur sourire.

– Peu importe. C'est l'heure de la relève. À plus tard.

Megan avait besoin de s'en aller, besoin de penser à ce qui arrivait à ses cheveux, besoin de pleurer. Désespérément. Elle libéra sa main de celle de Jackson. Le vide soudain lui fit l'effet d'une douleur dans les doigts.

– Je veux aller dormir, dit-elle.

Jackson examina le couloir de part et d'autre et parut satisfait.

– Non, pas encore. Je vais t'arranger ça.

– Je ne vois pas ce que tu veux dire.

– T'inquiète.

Passant un bras autour de ses épaules, il la guida jusqu'à sa porte et la fit entrer.

Dans la chambre, tout était à sa place, familier. Le placard, la sonnette. La porte menant à la douche et aux toilettes, légèrement entrebâillée, ainsi qu'elle l'avait laissée. Les rideaux toujours accrochés à leur tringle, balançant doucement dans la brise.

Rien n'avait changé depuis qu'elle était partie avec Jackson.

Alors, pourquoi elle? Tout le monde ne perdait pas ses cheveux. Elle l'avait lu quelque part. Pourquoi ne comptait-elle pas parmi les chanceux?

Elle ne voulait pas perdre ses cheveux, pourtant la preuve était là, encore accrochée à ses doigts. C'était le début.

Peut-être n'aurait-elle pas dû aller se promener, peut-être cela ne serait-il pas arrivé si elle n'était pas allée traîner dans de vieux couloirs. Mais Mme Brewster l'y avait encouragée, pour tenir Jackson dans les limites – alors quoi?

Jackson fut rapidement de retour.

– Tout le monde est occupé, annonça-t-il. On va raser ça!

Il brandissait un rasoir semblable à celui qu'utilisait son père. Avec toutes les lames.

– Me raser les cheveux?

Jackson acquiesça comme s'il avait affaire à une simple d'esprit et attendit. Visiblement, il n'était pas pressé.

– Ma mère va criser, reprit Megan, frappée par l'affreuse inévitabilité de la chose. Et d'ailleurs, ajouta-t-elle en considérant le rasoir avec méfiance, où as-tu trouvé ça?

– T'occupe! Ta tête va commencer à ressembler à un vieux paillasson. Alors, on arrange le coup avant la cata. Ta mère sera contente, tu verras. C'est quoi, le choix? Le look cool du crâne rasé ou la carpette pourrie ?... Bon, il nous faut des ciseaux. Et tu vas devoir t'asseoir.

Il ressortit.

Megan s'assit dans l'un des deux fauteuils. Les rayons du soleil couchant perçaient à travers la fenêtre, elle en sentait la chaleur sur sa peau mais cela ne suffisait pas à chasser le froid qui avait commencé de s'insinuer dans ses os.

Elle voulait ses parents, elle voulait Papy, elle voulait Gemma, Stacey, Frieda, elle voulait quiconque eût pu empêcher ce qui était en train d'advenir, l'emmener loin et la cacher. Or tous se trouvaient à l'intérieur d'une autre bulle quelque part, flottant sous d'autres cieux, et il n'y avait pas moyen de les atteindre.

– Prête ? demanda Jackson qui revenait avec les ciseaux.

– Pas vraiment, fit-elle. Mais vas-y. Qu'est-ce que ça peut faire ? Tant pis.

– Tu vas être super, promit Jackson. Franchement.

Elle en doutait. Elle serait affreuse. Il tira l'autre chaise, s'assit derrière elle, ses longues jambes offrant deux espèces d'accoudoirs à la jeune fille.

– Voyons...

Il passa les doigts dans ses cheveux, les soupesa comme le fait un coiffeur.

– Tu pourrais les vendre, tu sais.

– Ouais, c'est ça.

Qui voudrait la chevelure d'une cancéreuse ? Elle se

sentait crasseuse. Contaminée. Ses épaules se voûtèrent sous le coup d'une sorte de honte.

– Hé, allez.

Les doigts de Jackson parcouraient son crâne. Apaisants. Relaxants. Il la massait en lents gestes concentriques, autour des oreilles, des vertèbres, partout sur les rondeurs et les courbes du crâne, là où la tumeur était censée se trouver, vers les tempes, provoquant en elle une envie de dormir. Prise d'un agréable vertige, elle faillit basculer en avant. Ses mains se cramponnèrent aux cuisses de Jackson, qui se resserrèrent autour d'elle comme s'il avait anticipé, l'enveloppait et la protégeait.

Megan ferma les yeux, s'abandonnant entre ses mains. La tête inclinée vers lui, elle la laissa aller sur sa poitrine, et là elle eut la sensation de sentir tous ses os, le sternum, les côtes, son cœur aussi qui battait puissamment à l'intérieur, alors que le sien semblait mort.

Puis elle lâcha un long sanglot, venu du plus profond d'elle-même, tel un cri qu'elle aurait réprimé.

– Vas-y, fais-le, Jackson.

– Ça va. Chut...

Et il se mit à tailler.

Les premières mèches qui tombèrent sur ses genoux, Megan les ramassa, s'autorisant à les examiner. Que c'était doux, presque aussi doux que chez un bébé, et que de couleurs ! Elle croyait avoir les cheveux châtains, d'un châtain ordinaire et uni, or chaque mèche se révélait d'une nuance différente à présent qu'elle se trouvait détachée de sa tête et gisait dans sa paume. Comme si chacune avait pris une nouvelle teinte, rouge ou or, autant que brune.

Et elle ne le remarquait que maintenant.

Les cheveux continuèrent de tomber en bouquets, certains jusqu'au sol. Jackson chantonnait tout en donnant ses petits coups de ciseaux.

Finies, les histoires de coupe et de coiffure. Terminés, shampoings et baumes démêlants. Plus question de friser ou de lisser.

Elle se redressa, toujours agrippée aux jambes de Jackson.

S'attaquant à une autre poignée, les ciseaux crissèrent sous l'effort, comme si la tâche était trop difficile, la chevelure trop épaisse.

Megan commença à avoir mal à la gorge, l'impression de ne plus pouvoir déglutir. Ses yeux s'emplirent de larmes et sa vue en fut complètement brouillée. Plus rien n'avait l'air réel.

Les lames des ciseaux s'ouvraient et se fermaient, accomplissant leur œuvre inexorable. Que diraient ses parents, Papy, ses copines en la voyant ? Ils regarderaient... et ne la verraient pas. Elle n'était plus Megan.

Absorbé par la tâche, Jackson prit une nouvelle poignée et trancha. Megan eut l'impression que tout ce qui la constituait, tout ce qui disait qui elle était, glissait de ses épaules et cascadait jusqu'au sol, pareil aux feuilles qui tombent d'un arbre mourant.

10

– Qu'est-ce que vous fabriquez ?

L'infirmière chef venait d'apparaître à la porte. Le rasoir était à peine entré en action, mais son premier passage n'avait nullement été agréable. Megan commençait à se demander si Jackson savait vraiment ce qu'il faisait.

– Donne-moi ça immédiatement !

Le jeu était terminé.

– Je lui faisais une tête présentable, déclara Jackson avec son sourire le plus charmeur.

Booster n'allait pas se laisser amadouer. Elle tendit la main.

– Il est sécurisé, expliqua Jackson. Peut pas faire de mal.

Son sourire évanoui, soudain maussade, il déposa le rasoir dans la main de l'infirmière.

– Toi, Megan, reprit celle-ci, je t'aurais crue plus raisonnable, suffisamment pour ne pas laisser Jackson t'approcher avec ça !

Furieuse, elle brandit le rasoir devant eux et se mit à leur débiter un discours sur les règles de sécurité et les dangers des lames tranchantes. Il y avait des bébés et des petits dans le service, nom de Dieu, que se serait-il passé si... N'avaient-ils donc aucun bon sens?

Megan regardait ses mains, sans souffler mot, le cœur battant. Elle ferma les yeux, incrédule, lorsque Jackson répliqua d'un ton insolent et obstiné :

– Elle laisse bien les docteurs l'approcher. Qu'est-ce qui est raisonnable là-dedans?

– Pardon? siffla Mme Brewster en lui faisant face.

– Arrête, Jackson, intervint Megan. Ça va.

Il pivota pour la regarder, en colère.

– Non, ça va pas. Tu les laisses bien t'approcher, eux, pourquoi pas moi? Moi, au moins, je te faisais un peu de bien.

Megan gémit. Elle savait qu'ils avaient perdu, qu'il était inutile de prolonger le supplice.

– Jackson..., articula l'infirmière chef.

Raide, la bouche refermée en un pli sévère, elle dardait ses gros yeux sur lui. Il aurait dû saisir l'avertissement.

– Vous n'avez jamais perdu vos cheveux, hein? Vous n'avez jamais eu des aiguilles plantées partout. Pas comme nous. Et quel bien ça fait, d'ailleurs?

Quelque chose dans la voix de Jackson poussa Megan à le regarder. Malgré sa fureur, son visage avait pris une dureté minérale. Mme Brewster conserva son calme.

– C'est très important, tu le sais pertinemment. Nous

ne plantons pas des aiguilles dans les gens pour rien. Nous ne le faisons pas pour nous amuser.

– Mais quel bien il en ressort ? Dites-le-moi !

Il dardait sur la soignante un regard presque haineux. Que cherchait-il ?

Pourquoi ne se taisait-il pas ?

– Ça peut faire beaucoup de bien, Jackson, répondit Mme Brewster d'une voix légèrement altérée, presque gentille. Ça peut. Tu le sais.

– À Sardine, par exemple ? lâcha-t-il sèchement.

– Nous n'allons pas discuter d'elle maintenant, Jackson.

– Pourquoi pas ? Ça vous convient de *discuter* d'elle quand je l'emmène en balade... et que vous envoyez l'armée pour nous retrouver.

Megan avala sa salive. De quoi parlait-il ? Que voulait-il dire à propos de Sardine ?

– Je crois qu'il est temps que tu regagnes ta chambre, Jackson. Tu n'as plus rien à faire ici.

L'infirmière chef cambra le dos, ce qui la fit paraître encore plus impressionnante, et tint la porte grande ouverte.

Ce fut Siobhan qui vint à la rescousse, Siobhan avec ses longs cheveux noirs relevés haut sur le crâne, ses petites bouclettes qui lui encadraient le visage, sa peau d'un blanc laiteux, ses yeux verts.

L'adorable Siobhan, disait Papy. *Elle m'a l'air d'un ange.*

Un jour, Megan l'avait vue passer dans le service alors

qu'elle ne travaillait pas. Elle portait des vêtements ordinaires mais sa chevelure qui cascadait librement dans son dos lui donnait l'allure d'une princesse dans un livre pour enfants. Un gros diamant – une bague de fiançailles – ornait sa main gauche. Megan en avait bizarrement été surprise. Siobhan appartenait au service. Qu'elle puisse avoir une vie à l'extérieur semblait curieux.

– Vous deux ! disait-elle maintenant en balayant les derniers cheveux. Quelle fine équipe, je te jure. Vous devriez arrêter vos blagues ; la chef était folle de rage.

– Il voulait seulement m'aider, énonça Megan d'une voix tremblante.

Siobhan se tourna vers elle, les poings sur les hanches.

– La prochaine fois qu'il cherche à t'aider, appuie sur la sonnette et c'est moi qui me débrouille avec lui.

Bien que Siobhan la regardât sévèrement, une certaine douceur perçait dans son expression et dans sa voix.

Les cheveux disparurent dans une poche en papier.

– Tu sais quoi ?

Megan fit un signe négatif. Elle savait seulement qu'elle avait été idiote et Jackson aussi.

– J'ai quelque chose qui pourrait te plaire. Je vais le chercher ?

Tout était si étrange – ses cheveux dans un sac, destination poubelle. L'air paraissait bien plus froid, sa tête plus légère, comme si elle ne lui appartenait pas.

– Oui, s'il vous plaît, répondit-elle, se sentant plus petite qu'avant, plus jeune, plus sotte.

– Ah, ne va pas te regarder dans la glace avant mon retour, prévint Siobhan depuis la porte. Promis ? Tu n'es pas tout à fait chauve, ce n'est pas franchement lisse. Mais c'est le mieux qu'on puisse faire pour le moment.

Au mot « chauve », Megan éprouva un véritable choc, mais c'était ce qu'avait visé Jackson, non ? Malgré son envie de pleurer, elle s'essuya les yeux, refoula ses larmes.

– D'accord.

Siobhan fut de retour en un rien de temps avec une casquette de base-ball rouge vif.

– Essaie-la. Elle est réglable.

Megan mit la casquette, se sentit aussitôt mieux.

– Mais quand tu seras chez toi, va voir un coiffeur. Qu'il t'arrange ça correctement. Tu veux que je reste pendant que tu te regardes dans le miroir ? Ça va te faire bizarre...

Sa voix était si gentille que Megan souhaita qu'elle reste, souhaita qu'on l'enlace et qu'on la tienne jusqu'à ce que ce cauchemar – car soudain c'était un cauchemar – s'achève. Et, cependant, c'était quelque chose qu'elle devait faire toute seule. C'était sa faute. Elle avait dit à Jackson qu'il pouvait y aller.

Elle secoua la tête.

– Bon. Tu sais où me trouver.

– Oui. Merci.

Siobhan sortit sur un dernier sourire.

Megan ramassa le sac en papier, l'ouvrit et regarda le tas sombre au fond. Elle y plongea les doigts, joua avec quelques mèches à la texture soyeuse, puis elle referma la poche, l'emporta vers la poubelle près du lavabo et l'y jeta. Le couvercle se rabattit avec un claquement sinistre.

Ce fut Sardine qui lui raconta l'histoire. Ce fut Sardine qui se fit pousser par sa mère jusqu'à la chambre de Megan avant de congédier la convoyeuse. Ce fut Sardine qui réclama de tâter le crâne de Megan, ses grands yeux plus dilatés que jamais, assurée qu'on ne pouvait rien lui refuser.

– Mme Brewster était en colère contre Jackson ? questionna-t-elle en passant les doigts dans les touffes qui parsemaient le crâne de Megan.

Ses doigts étaient légers, parcheminés. Ils chatouillaient.

– Contre nous deux. Quand je vais rentrer chez moi, ma mère va probablement me faire une scène, elle aussi.

Megan accompagna cette prévision d'un haussement d'épaules, l'air de dire que ça n'avait pas vraiment d'importance. Ce n'étaient que des cheveux.

– Jackson s'attire toujours des ennuis. Il est intenable, déclara Sardine avec une once de fierté dans la voix. Tu vas devenir chauve et acheter une perruque ? poursuivit-elle en caressant la tête de Megan. Moi, j'en ai une rose, mais elle gratte.

Megan supposait qu'elle devrait se faire raser pour réparer les dégâts. Filer droit chez le coiffeur de sa mère et faire arranger ça.

– Faudra que je voie, dit-elle.

Sardine se rassit et poussa un soupir ; soit elle était lasse de tripoter ce drôle de crâne, soit elle estimait que ne pas savoir quel genre de perruque on porterait attestait une regrettable faiblesse de caractère.

Megan remit sa casquette, savoura la sensation de chaleur qui lui ceignait la tête, et regarda Sardine. C'était bizarre de la voir dans un fauteuil roulant, un vrai, pas de ceux dans lesquels on vous descendait à la radiothérapie.

– Tu veux retourner dans ton lit ?

– Seules maman ou une infirmière ont le droit de me pousser.

– Oh, oh. À cause de Jackson, je parie. C'est le début d'une histoire ou je me trompe ?

Elle reçut un grand sourire en réponse et le récit commença. Sardine se régalait, le visage éclairé par la drôlerie de la chose.

Jackson avait si bien parlé de Mister Henry à plusieurs enfants que ceux-ci voulaient le voir. Aussi avait-il suggéré qu'on se lance à sa recherche dans le service et que ceux qui pouvaient le suivent.

– Ça en faisait combien ?

Sardine dut réfléchir.

– Trois. Ils ont cherché sous les lits, dans les salles d'eau, mais Mister Henry n'y était pas. Ils ont cherché dans le placard des taies d'oreillers, pas là non plus. Et Jackson menait...

– On dirait *Le Joueur de flûte de Hamelin*, murmura

Megan. L'histoire avec des rats, précisa-t-elle devant la mine perplexe de Sardine. Tu y étais, toi?

– Je faisais que regarder. Mes jambes marchaient plus et j'étais tombée et je m'étais fait mal partout et Jackson a dit qu'il allait me transporter pour une belle balade. Pas juste autour des lits avec les petits. Faire le tour de l'hôpital.

Le souvenir la chamboulait encore. S'en aller du service avec Jackson, s'éloigner des machines, des pleurs des bébés, des vomis, de tous les docteurs, des repas qui sentaient la vieille chaussette et avaient goût de carton, de tous les gens qui lui disaient bonjour, lui souriaient et s'extasiaient sur sa bonne mine alors qu'ils n'en pensaient pas un mot puisqu'elle était toujours dans un plus sale état.

Pas étonnant que ça ait causé tant de problèmes.

– Où était ta mère?

– Chez le coiffeur. On est allés au bout du long couloir, jusqu'à la porte d'entrée où vivent les gens du personnel et on a vu les ambulances arriver avec tous leurs pimpons, les phares qui tournent et tout, et on est sortis dehors et on a regardé l'herbe et vu les oiseaux. Et puis quelqu'un nous a trouvés et nous a fait rentrer.

– Tu as vu Mister Henry?

– Non. Il dormait.

Bien sûr, pensa Megan, il dormait. Un chat fantôme ne vaquait pas à ses occupations en pleine journée, encore moins un chat fantôme qui n'existait que dans les contes de Jackson.

– Donc, tu as passé un bon moment ?

– Oui, fit Sardine avec un immense sourire... qui s'effaça dès qu'elle se rappela la suite : Mme Brewster s'est mise en colère. Tout le monde nous cherchait.

– Tu m'étonnes !

Megan se rembrunit en constatant soudain combien Sardine était pâle. Avoir tant parlé avait dû l'épuiser. Elle s'avachissait de plus en plus dans son fauteuil.

Alarmé, le cœur de Megan se mit à cogner dans sa poitrine.

– Tu es fatiguée ? J'appelle Siobhan ? Sardine ? Tu veux retourner dans ton lit ?

Elle tendit le bras vers la sonnette.

– Je l'emmène, dit une voix.

C'était Jackson.

– Tu ne peux pas, fit Megan. Tu as assez d'ennuis comme ça. Je sonne.

– J'ai dit que je l'emmenais.

Les yeux de Sardine s'éclairèrent fugitivement en découvrant Jackson, mais sa voix trahissait une sombre urgence :

– Je veux voir Brian. Tu leur diras que je veux le voir ?

– Je leur dirai, assura Jackson.

– Tu vas leur dire maintenant ? Je veux m'en aller maintenant.

Mais comment Sardine pouvait-elle rentrer chez elle ? Ne devait-elle pas subir un traitement supplémentaire ? Un truc nouveau qu'ils voulaient essayer ? Sa mère n'y avait-elle pas fait allusion ? Dit qu'il fallait lui transfuser tout son sang? Si c'était fait, peut-être irait-elle mieux désormais. Sinon, comment pouvait-elle voir Brian? Il était à la maison. Elle était à l'hôpital.

Jackson ne comprenait rien ou quoi?

Ne voyait-il pas qu'il allait seulement s'attirer des ennuis supplémentaires?

Et pourtant.

Sardine souriait à présent, à la pensée de voir son chaton. Megan l'imagina aisément, loin d'ici, dans sa maison, sur un canapé peut-être, caressant Brian. Elle embrasse son nez minuscule, il ronronne, et d'aise il sort ses griffes, à peine, juste de quoi dire à l'enfant qu'il est heureux de son retour et qu'il ne grimpera plus aux arbres, n'aura plus besoin d'être secouru parce que Sardine est là qui le tient dans ses bras. Et c'en est fini des machines, de leurs cliquetis, des bips, des blouses blanches, des perfusions et des aiguilles, il y a uniquement sa maman, son papa et son chat.

Ce tableau était si parfait, si juste, que Megan ne chercha plus à dissuader Jackson.

– À la prochaine, Sardine, dit-elle tandis qu'ils sortaient.

Se pouvait-il qu'on arrive à saturation? Pouvait-on en avoir marre de l'hôpital au point de vouloir tout arrêter et seulement rentrer chez soi? Pouvait-on savoir, à même pas sept ans, que parfois les traitements ne marchaient pas? Était-ce la raison du caractère changeant de Sardine, de ses crises violentes, de son comportement tyrannique avec sa mère?

Y avait une petite fille, qui avait une bouclette
au beau milieu du front.
Quand elle était mignonne, elle l'était très, très, très,
quand elle était vilaine, il fallait se planquer.

Megan regarda par la fenêtre et aperçut un oiseau solitaire qui planait entre des nuages – rideaux blancs nébuleux que le vent aurait gonflés, emportés et sculptés dans l'espace. C'était une mouette, décida-t-elle, et elle la regarda se laisser absorber lentement par le ciel, blanc sur blanc, jusqu'à disparition complète.

11

Megan était de retour à l'hôpital pour y être opérée. Cela signifiait – peut-être – la fin de son traitement, mais elle redoutait de se faire ouvrir le crâne. Et que se passerait-il si l'on trouvait quelque chose de pire à l'intérieur ?

Décidée à se changer les idées, elle s'empara de l'un des nouveaux magazines que Gemma et les Jumelles lui avaient donnés et alla droit à la page courrier du cœur, à la fin, comme toujours, et comme toujours elle conclut que ces lettres n'avaient rien d'authentique. À croire qu'on payait des gens pour inventer et rédiger ces trucs.

Mon petit ami fantasme-t-il sur ma meilleure copine ?

Ma mère a un nouveau compagnon et il me hait.

Je crois être enceinte.

Chaque fois les mêmes vieilles rengaines.

Les gens ne savaient pas ce qu'était un problème. Ils auraient dû venir dans ce service et se frotter à la réalité. *On va me découper la tête – que puis-je faire ?*

– C'est collé ? Ou ça s'enlève ?

Jackson venait d'apparaître à la porte.

– Je peux entrer ? demanda-t-il encore.

Il restait planté sur le seuil, l'air de n'avoir jamais pénétré dans cette chambre sans autorisation.

– T'es contente de me voir ?

– Non. Oui. Oui absolument, dit Megan en souriant.

Et c'était vrai, mais... elle constata que ses longues jambes semblaient plus maigres, chacun de ses os plus saillant qu'auparavant, sa silhouette plus anguleuse. Ses yeux étaient deux cavités obscures dans l'ombre de son chapeau. Sa peau paraissait terne. Peut-être essayait-on sur lui aussi un nouveau traitement.

Elle se demanda ce que cela faisait d'être atteint par une maladie si rare qu'on n'arrivait pas à la soigner, et de subir toutes sortes de thérapies, et d'engendrer toute une littérature médicale sur son cas. On ne finissait pas par en avoir ras le bol ? Par avoir envie de partir loin et ne jamais revenir ?

Chassant ces pensées, elle lui sourit.

– Tu es autorisé à entrer et à me distraire. Je ne vais pas m'amuser dans les jours qui viennent.

– Ouais, jusqu'ici c'était une longue partie de rigolade. C'est très bien, ta perruque.

Megan secoua la tête, faisant voler les mèches argentées devant son visage – mouvement qu'elle avait testé auprès de Gemma et des Jumelles. Selon la suggestion de Sardine, elle s'était même acheté une perruque rose.

– J'en ai des tas. Je peux me faire une nouvelle tête chaque jour.

Elle grimpa sur le lit afin de libérer le fauteuil pour Jackson. Celui-ci ne s'assit pas mais s'appuya au chambranle de la porte.

– Tu veux voir la rouge ? Ma mère dit que j'ai l'air d'une sucette avec.

– *Megan argentée... Megan d'argent, Megan Bright, Megan Silver,* commença à chantonner Jackson. Non, celle-là me convient. Elle m'a pardonné d'avoir essayé de te scalper ?

– *Elle*, oui. Je ne sais pas ce qu'il en est pour Booster.

– J'ai tiré ma peine pour ça. Ça a été long, remarque. Faudra que je fasse autre chose de très très mal pour voir ce qui se passe.

– Hein ? Tu as déjà tout fait. Si j'en crois ce que tu racontes. Ce qui, entre parenthèses, n'est pas le cas la moitié du temps.

Jackson prit un air blessé.

– Non, il doit y avoir quelque chose...

– Tu es à l'hôpital, tu te souviens ?

– Parce que tu crois que ça va m'arrêter ?

Elle dut admettre que non. Jackson la regardait en souriant.

– Quoi ?

– Eh bien..., fit-il en s'asseyant sur le lit. Pousse-toi, Miss Perruque. Des fois, faut que je m'allonge...

– Pas ici, dit Megan en lançant un coup d'œil vers la porte.

Jackson entreprit de s'étendre sur le lit comme dans le sien, sauf qu'il était tellement grand que ça ressemblait encore plus à un lit d'enfant. Il se débarrassa de ses sandales, appuya sa tête sur l'oreiller et disposa son chapeau sur son visage.

– Pourquoi pas ? fit-il.

– Parce que...

Megan souleva le chapeau afin de pouvoir le voir.

– Parce que...

Il riait à moitié. Le chapeau retrouva sa place initiale.

– Oh, et puis tant pis.

Elle se poussa et s'allongea sur l'autre moitié du lit.

Le lit était une île. Ils étaient cernés par des requins et autres carnassiers des mers. Il y avait des tempêtes, et une chaleur qui vous desséchait à vous faire tomber la peau par plaques, et rien à boire. Du moins selon Jackson.

– Ça me plaît ici, ajouta-t-il. Bien mieux qu'un service hospitalier. Je pourrais m'incruster. C'est un endroit pour les histoires.

Des pas approchèrent, puis dépassèrent la porte. Megan ne put les identifier, c'était sans importance.

– Tu veux une histoire ? demanda Jackson.

– J'ai l'air d'une gosse de neuf ans ?

– Ce sera une belle, promis. Et faut que je m'entraîne sur toi.

Il roula sur le flanc et envoya son chapeau sur le fauteuil. Leurs visages étaient maintenant tout proches. Il la regardait droit dans les yeux, comme s'il se souvenait d'une autre fois, dans la pénombre de la salle d'attente des visiteurs, et désirait peut-être l'embrasser à nouveau.

– Alors, vas-y, fit Megan à voix basse.

Il se remit à plat dos. Le silence dura quelques secondes. Sans doute Jackson se préparait-il, les yeux dardés sur un invisible lointain.

– La famine sévissait sur cette terre, commença-t-il lentement.

Son timbre sourd lui donnait l'air beaucoup, beaucoup plus âgé, plus grave, cependant Megan y décelait comme la mélodie cadencée d'une chanson qu'elle n'avait jamais entendue.

– Et des mois durant pas une goutte de pluie.

Il leva les yeux, comme s'il scrutait le ciel à la recherche de nuages, comme s'il invoquait les éléments.

D'où sortait-il cette voix? Qui faisait de lui un être si différent – quelqu'un d'ailleurs, d'une autre époque. Ce n'était pas le garçon qu'elle connaissait. C'était un vieil homme d'autrefois. Comment faisait-il?

– Jour après jour, le soleil irradie dans les cieux limpides. L'herbe brûle, pareille au fruit du caféier.

Le fruit du caféier? Ça ressemblait à quoi? À ces grains moulus par une machine dans les cafés?

– Et les arbres brûlent eux aussi, brunis, roussis. Les feuilles et les fruits dépérissent de même...

Sa main, qui avait en poing serré illustré auparavant le soleil implacable, se fit ramure s'étiolant dans la sécheresse.

– La famine sévissait sur cette terre...

Il s'assit, remit son chapeau et se tut.

– Comment tu fais ça ? demanda Megan, ravie.

Il lui décocha un sourire penaud.

– J'écoute, c'est tout, je ne fais que copier, répondit-il.

Puis il troqua son ton de mélopée ancienne contre sa voix ordinaire :

– J'essaie que ça sonne comme à la Jamaïque, quand on est autour du feu, la nuit. Il n'y a ni télé ni radio, rien que les histoires qu'on se raconte sous les étoiles.

Il lança un ultime regard vers le plafond, là où il avait imaginé le ciel, puis il sourit et l'enchantement fut rompu.

– Ma mère dit que ça devait être comme ça. Disons, probablement. Si Jackson T. Dawes était encore en vie, il aurait su.

Il émit un petit rire, presque mélancolique.

– Je parie qu'il connaissait des tas d'histoires.

– Celles que tu racontes, tu les connais par cœur ?

– Ouais, ou j'invente des bouts. Du moment que j'arrive à la fin. Je les raconte dans un pub de mon quartier. Les dimanches après-midi. Ils allument des bougies pour l'ambiance et tout. Y a des mômes qui adorent venir écouter.

– Tu me racontes la fin ?

Elle avait envie de l'entendre encore, de retrouver la magie du son. Comme une enfant.

– Je suis en train de l'apprendre, celle-là. C'est difficile de garder le ton juste sur la durée d'une histoire.

– Alors, il faut que tu t'en ailles, dit Megan en se redressant sur un coude.

– Pourquoi ?

– Si quelqu'un se pointe, on va avoir des ennuis.

– Parfait ! J'aime les ennuis.

– Puisque tu ne termines pas l'histoire, persista-t-elle, il n'y a aucune bonne raison pour que tu restes ici.

– Exact, soupira Jackson. Absolument aucune, Miss Perruque.

Il s'empara d'une poignée de cheveux argentés, les attira à lui et sourit en regardant Megan droit dans les yeux, si bien qu'elle ne distinguait que la lueur dans ses prunelles, nonchalante et brillante, rien que pour elle. Puis il inclina la tête en avant, presque à toucher la sienne, porta les cheveux factices à ses lèvres avant de laisser les mèches chatoyantes glisser entre ses doigts.

– Décidément, j'aime bien, fit-il en saisissant une nouvelle mèche. Megan Silver, Megan Bright.

Il était si proche qu'elle respirait son odeur de savon et de gel douche.

De l'autre côté de la porte entrouverte, la vie du service suivait son cours. Cliquètement des machines, sonneries de téléphone, pleurs de bébés, paroles consolantes des mères qui s'allongeaient, épuisées, sur les lits de leurs enfants, les enveloppant de leur étreinte rassurante car ils ne voulaient pas qu'on les laisse seuls. Hors de la chambre, tout était pareil à l'habitude, avec les infirmières qui allaient d'un pas pressé, trop occupées pour se soucier de ce qui se passait à l'intérieur.

– On va s'attirer des ennuis, finit par répéter Megan.

– Encore ?

Jackson soupira avec emphase, se redressa, la regarda.

– Mais personne ne fait attention, poursuivit-il. Ça sert à quoi d'enfreindre le règlement si personne ne te prend sur le fait ?

Megan laissa son regard s'attarder sur son visage, ses lèvres, son crâne lisse, sa peau satinée. Elle aurait aimé y promener les doigts, en même temps elle s'y refusait si cela devait briser le rêve.

– Je crois que la situation exige une action spectaculaire, déclara Jackson. Donc...

Il entreprit de déboutonner son jean.

– Ils vont se ramener au galop, crois-moi !

– Qu'est-ce que tu fais ? cria Megan en sautant du lit. Arrête ! Mais arrête !

Jackson éclata de rire.

– C'est bon, Miss Perruque. Je suis pas aussi crétin. Toi non plus.

Megan s'affala dans le fauteuil et se mit à rire, d'un rire tellement irrépressible qu'elle en fut épuisée. Elle s'arrêta lorsqu'elle s'aperçut que Jackson la regardait fixement, comme un lapin pris dans les phares d'une voiture, suspendu dans l'instant, avec rien avant, rien au-delà, seulement l'attente, et le désir d'être piégé pour toujours dans la lumière violente.

– À un autre moment, dit-il. Dans un autre endroit. Et ce serait parfait.

Sentant ses joues s'empourprer, Megan détourna les yeux. Oui. Parfait.

– Tu as quelque chose à manger? Je crève de faim.

– Hein? fit Megan, déconcertée.

Il ne se tenait donc jamais tranquille? Pour lui, tout se résumait-il à une farce?

– Là-dedans, par exemple, reprit-il.

Il se dirigea vers le placard, mais cela parut lui coûter beaucoup d'effort. Quand il trébucha, son pied à perfusion alla cogner le lit.

– Attention! s'exclama Megan, craignant qu'il ne tombe.

Il lui décocha un regard qu'elle ne lui avait jamais vu, un regard qui disait *Pas de panique, je me débrouille.* Il commença à fouiller.

– Non, rien, constata-t-il. Tant pis. De toute façon, je ne dois rien manger.

– Quoi? souffla Megan.

– T'es pas la seule à aller au bloc. On m'opère cet après-midi.

– Arrête de dire n'importe quoi!

Elle voulait croire que c'était encore une de ses blagues mais, quand elle vit son expression, elle comprit.

– Vraiment? dit-elle.

– À deux heures.

– Pourquoi tu n'as rien dit avant? Je t'aurais laissé manger ce que t'aurais voulu. Ce n'est pas drôle, ajouta-t-elle parce qu'il souriait.

– Devine ce que j'ai fait ce matin avant l'arrivée de Booster...

Megan refusa de paraître intéressée. Il baissa la voix :

– J'ai trouvé la morgue. Bourrée de macchabées. Rangés dans des frigos.

– Tu regardes trop la télé.

– Comme tu voudras.

Jackson tourna les yeux vers la fenêtre et fronça les sourcils.

– Quoi, maintenant?

Il baissa de nouveau la voix et adopta l'accent caraïbe :

– Le soleil achève de disparaître, la tempête approche, menace notre terre...

Il attrapa son chapeau, désigna la fenêtre et s'en alla.

Megan observa le ciel. Il était d'un gris uni et épais, lourd de pluie.

12

Il semblait que des heures s'étaient écoulées depuis que Jackson était descendu au bloc. Durant un moment, Megan resta assise sur son lit, essayant de dessiner, mais rien ne venait. Son portable carillonna. Gemma lui envoyait une pleine ligne de ☺ en prévision du lendemain, et les Jumelles lui rappelaient de jeter un œil au chirurgien. Il était peut-être mignon.

Elles ne savaient toujours rien de Jackson. Megan ne leur avait jamais parlé de lui. Pour quelle raison ? Elle l'ignorait. Simplement, chaque fois qu'elle envisageait de dire quelque chose sur le sujet, les mots lui manquaient. Pour l'heure, elle était contente que ses copines ne sachent rien. Les Jumelles l'auraient bombardée de messages interminables auxquels elle aurait dû fournir des réponses tout aussi interminables.

Elle regarda mille fois l'heure. Elle écouta quelques morceaux sur son iPod. Elle essaya toutes ses perruques, optant décidément pour l'argentée. Rien ne ramena Jackson plus vite dans le service.

Sa mère passa avec plusieurs cartes envoyées par divers parents et amis. Elles les ouvrirent ensemble mais Megan n'arrivait pas à se concentrer, enregistrant à peine les noms des expéditeurs ou leurs vœux de rétablissement. Bien que sa mère ne fût pas là depuis une heure et malgré la petite blessure qu'elle lui infligeait, elle finit par lui demander de partir, puis elle se rendit dans la chambre de Jackson et y resta pendant ce qui lui parut une éternité, à souhaiter son retour.

– Il ne va pas revenir avant un moment, Megan.

L'infirmière chef, Mme Brewster, était brusquement apparue.

– Viens, maintenant, ajouta-t-elle d'un ton gentil mais ferme.

Sa propre chambre ne lui offrit aucun refuge. Là tout de suite, elle la détestait, détestait s'y sentir consignée. Elle écouta la pluie qui tambourinait, la regarda dévaler en rideaux sur les vitres, observa les larges flaques grisâtres qui se formaient sur les toits plats.

Pourquoi était-ce si long? Il aurait dû être revenu à présent.

Sombre et désœuvrée, elle arpenta le couloir de long en large. C'était une journée chargée dans le service, avec de nouveaux entrants, pleurnicheurs et désorientés, leurs parents vaguement hagards. Un nouveau môme occupait le lit de Sardine.

Saisie du besoin de fuir, Megan gagna le poste de soins qui grouillait de monde.

– Je peux descendre acheter un magazine à la boutique ?

L'infirmière chef leva les yeux de l'écran d'ordinateur.

– Bien sûr, Megan. Simplement, ne va pas traîner là où il ne faut pas. L'accès au bloc opératoire est strictement interdit, comme tu le sais. De même pour la salle de réveil où se trouve actuellement Jackson, ajouta-t-elle avec un semblant de sourire.

Le cœur de Megan bondit de joie, ses yeux s'humidifièrent.

– L'opération est terminée ?

– Oui, mais il faut encore beaucoup de temps. File.

La boutique se situait au rez-de-chaussée, non loin de l'entrée principale de Saint-Pérégrin. C'était un espace exigu avec deux ou trois tables rondes. À l'une d'elles étaient assis une mère et ses deux enfants. La femme, cheveux mollement épars sur les épaules, ongles rongés, fixait sa tasse. Ses gosses, des jumeaux, tétaient leur bouteille de jus de fruits en se livrant une bataille clandestine qui consistait à se lancer des coups de pied sous la table et à échanger des regards sournois.

– Arrêtez, siffla la mère, ou vous n'aurez pas de bonbons.

À côté, un troisième môme, une fillette, les yeux clos et le nez morveux, geignait dans sa poussette en pompant une énorme tétine façon Maggie Simpson. De temps en temps, elle se frottait le visage avec son petit poing, chiffonnant sa frimousse en un masque plutôt répugnant.

Quand Megan passa, les deux garçons s'immobilisèrent et la regardèrent avec des yeux écarquillés. Leur mère cherchant la cause de leur ébahissement, Megan lui décocha un sourire et secoua la tête de façon à faire voleter sa perruque argentée.

– Ne restez pas à gober les mouches, ordonna sèchement la mère. Buvez vos jus de fruits.

L'employée de la boutique sourit à Megan depuis son comptoir, les yeux floutés derrière ses épais verres de lunettes. Le rang de perles à son cou la faisait ressembler à la reine.

– Oooh, j'adore cette couleur argentée. Ça fait déco de Noël. Où est ton ami ? Il n'est pas descendu aujourd'hui.

– Il se fait opérer.

– Oh, j'ignorais, fit l'employée, confuse et rougissante. Le pauvre. Il nous a manqué. Il nous rend visite régulièrement.

– Il est sorti du bloc à l'heure qu'il est, la rassura Megan. Il est en salle de réveil. Il ne devrait pas tarder à remonter.

Le sourire revint sur les lèvres de l'employée.

– Bon. Il sera sur pied en un rien de temps. Dis-lui bien qu'on a tous demandé de ses nouvelles.

Un homme se présenta au comptoir avec un grand sachet de caramels et un journal. L'employée tendit la main pour recevoir le montant des achats.

– Qu'est-ce qui te ferait plaisir, mignonne ? Vilaine journée, pas vrai ? Toute cette flotte !

Sa voix exprimait le soulagement. Le temps pourri

était un sujet de conversation moins pénible que l'opération de Jackson.

Megan se promena entre le tourniquet à cartes postales et la vitrine réfrigérée bourrée de boissons, jusqu'au mur du fond tapissé de bandes dessinées, magazines et journaux. De temps en temps, elle jetait un coup d'œil à travers les grandes baies vitrées afin de guetter les allées et venues – Jackson risquait d'être ramené par là quand on le reconduirait dans le service. Elle ne le vit pas. Déçue, elle regagna le comptoir et paya son magazine.

– Il n'est pas encore revenu ?

Elle voyait bien que Jackson n'était pas là, que sa chambre était vide, néanmoins elle n'avait pu s'empêcher de poser la question. Peut-être l'avait-on mis ailleurs.

– Tu nous casses les pieds, à la fin, lui dit Siobhan, rieuse.

– Donc, il n'est pas revenu.

– Je te promets que tu seras la première avertie. Pour le moment, on ne peut qu'attendre.

Le téléphone de Megan vibra ; elle regagna sa chambre.

– Papy ?

– Il m'a pris l'idée de venir aux nouvelles.

La voix du grand-père était tremblante et ténue, comme d'habitude. C'était la voix d'un vieillard affaibli qui a peine à quitter son lit. Sauf que ce n'était pas le cas de Papy. Il allait chaque jour sur le port pour bavarder avec les pêcheurs, contempler les mouettes et noter ses observations ornithologiques dans son petit carnet noir. Personne ne lui aurait donné plus de quatre-vingt-dix ans. Aujourd'hui, cependant, il semblait un peu plus âgé.

– Mme Lemon est là? demanda Megan.

– Elle est partie aux commissions. Elle m'a dit de me tenir tranquille pendant son absence. Alors je t'appelle. C'est demain le grand jour?

– Jackson s'est fait opérer cet après-midi, annonça Megan.

Elle n'avait pas envie d'évoquer son anxiété et d'inquiéter Papy alors qu'il était seul chez lui.

– Il est en bas depuis des heures.

– Oh... Tu vas le revoir bientôt, assura le vieillard. Ne te fais pas de souci, ma biquette. Il m'a l'air d'un grand costaud. Et la charmante Siobhan prendra bien soin de lui.

La pluie tambourinait sur le toit, sur les vitres, tout le service pédiatrique résonnait de ce martèlement régulier. Il avait fallu allumer partout alors qu'on était en plein jour. La voix de Papy parvenait étouffée, comme venue de l'autre bout de la galaxie. Megan l'imaginait cramponné au combiné. Elle aurait aimé qu'il raccroche mais il continuait à parler, bien que sa voix fût de plus en plus faible.

– Papy... Jackson risque de revenir d'un instant à l'autre.

– Ha, dépêche-toi d'aller retrouver ce p'tit gars. Transmets-lui mon bonjour. Et prends soin de toi. On pensera à toi... demain...

Dans le silence qui suivit, Megan se rendit compte que son grand-père pleurait.

– Tout va bien se passer, Papy. Je te téléphonerai dès que je pourrai.

– Ma biquette...

– Raccroche, Papy. Et mets l'eau à chauffer pour le retour de Mme Lemon. Tu sais qu'elle tient à sa tasse de thé. Dis-lui bonjour de ma part.

Papy raccrocha enfin. Ne tenant pas en place, Megan retourna dans la chambre de Jackson, s'assit derrière la porte où personne ne pouvait la voir. La pièce semblait immense en l'absence du lit. Ce qu'il restait de Jackson se résumait à un mouchoir en papier chiffonné sur la table de chevet. Elle le ramassa et le mit à la poubelle – Jackson ne devait pas revenir dans une chambre en désordre.

Elle se rassit dans le fauteuil, tenta de s'y caler confortablement. Les bras sur les accoudoirs, elle se surprit à tambouriner du bout des doigts, ainsi que le faisait Jackson quand il accompagnait l'une de ses mélodies secrètes. Elle se mit à fredonner, lentement et à voix basse, l'air qu'il lui avait chanté ce matin. Elle sentait presque sa présence, là, dans la chambre, comme s'il y avait laissé une part de lui-même, rien que pour elle.

Une sirène retentit dehors. Megan regarda par la fenêtre. Une ambulance arrivait aux urgences. Jackson lui avait raconté son incursion là-bas, un jour, avant qu'une femme en blanc ne le reconduise à la sortie. Megan imagina ce qui était en train de se passer maintenant : la personne qu'on transportait sur une civière, les médecins et infirmières qui s'affairaient autour pour sauver une vie. Goutte-à-goutte, moniteur cardiaque, transfusions sanguines, défibrillateur... Exactement comme à la télé.

Lorsqu'elle entendit enfin le grincement des roulettes d'un lit dans le couloir, elle se précipita puis se plaqua contre le mur pour laisser le passage. Jackson paraissait endormi, pourtant il émit un long gémissement au moment où on le poussait vers sa chambre.

– Laisse-nous pour le moment, Megan, ordonna quelqu'un dans l'affairement général qui consistait à ouvrir la double porte, réinstaller l'opéré, manœuvrer tout un tas d'équipements.

Plus tard, depuis le seuil, Megan regarda Siobhan se mouvoir tranquillement autour du lit de Jackson pour effectuer les soins d'usage. Température. Pouls. Tension artérielle. Tableau des volumes liquidiens. Thérapie intraveineuse. Ces mots lui étaient devenus familiers, telle une langue nouvellement apprise.

– Il n'a pas l'air très bien, dit-elle en s'efforçant de ne pas pleurer.

– Personne n'est très bien après une opération aussi lourde. Ne t'inquiète pas.

Jackson subissait une transfusion. Les gouttes de sang

tombaient régulièrement depuis une poche dans une chambre transparente, longue comme un petit ballon qu'on aurait étiré, toujours à moitié pleine, toujours à moitié vide. On appelait ça une chambre compte-gouttes ou un débit-mètre. Chaque nouvelle goutte arrivée dans la chambre en propulsait une autre dans le cathéter. Megan observa la formation d'une goutte qui grossit jusqu'à former une petite baie rouge, avant de chuter.

– Il lui en faudra plus ? demanda-t-elle à Siobhan qui à présent vérifiait le débit et inscrivait ses relevés sur un tableau.

– Je pense, répondit l'infirmière en souriant. Une autre unité, je suppose. Bon, ça suffit pour le moment, miss. Quand il se réveillera tout à l'heure, tu pourras revenir quelques minutes.

– Faut que j'attende dans ma chambre ?

– Où tu veux sauf ici. Allez, file. Du balai !

Mais Siobhan continuant de sourire, Megan comprit qu'elle ne lui manifestait pas d'hostilité, simplement elle ne la voulait plus dans ses pattes.

Plus tard, le service retrouva sa tranquillité. La famille de Jackson s'était retirée pour la nuit, lui était enfin réveillé.

– Tu peux le voir cinq minutes, vint lui annoncer Siobhan. Pas plus. Il est encore somnolent.

– Cinq minutes, promit Megan.

Et ne voulant pas perdre une seconde, elle s'empressa de gagner la chambre. Elle s'arrêta sur le seuil, se demandant si Jackson s'était déjà rendormi. La pièce n'était éclairée que par l'applique au-dessus du lit qui projetait un halo doré sur son visage.

– Salut, articula-t-il d'une voix cassée mais en parvenant à sourire faiblement.

Le silence était ponctué par le clignotement d'un moniteur, le déclic régulier du goutte-à-goutte, la lente respiration de Jackson.

– Salut. Comment tu te sens ?

– Je... sens... rien.

– Tant mieux. C'est mieux, hein ?

Jackson eut un vague mouvement de la tête, qui ne disait ni oui ni non.

– Tu es trop fatigué ? Je reviendrai demain. Je n'ai droit qu'à cinq minutes.

– J'aurais dû... te dire... un truc...

Il avança la main dans la direction de Megan, comme s'il ne voulait pas qu'elle parte. Ses doigts étaient longs et fins, des doigts de musicien, sa paume pâle et lisse.

– C'est quoi ?

– À propos de Sardine...

Après un instant de doute, d'incertitude, Megan posa une main sur la sienne, légèrement car elle craignait de lui faire mal. Ses doigts glissèrent sur son poignet, sa paume épousa la sienne. Elle sentait battre son pouls. Jackson déglutit. Douloureusement.

– Quoi, à propos de Sardine ?

– ... elle est morte.

– Je m'en doutais, murmura Megan.

Elle ne demanda pas comment il le savait – évidemment qu'il le savait, le Joueur de flûte de Hamelin, qui emmenait les enfants à la recherche de Mister Henry, il le savait. Elle ne s'étonna même pas de l'avoir pressenti lorsqu'elle avait imaginé Sardine rentrant chez elle pour voir son chat, le câliner. À présent, cela paraissait si lointain, un événement advenu dans un autre temps.

– Mais elle continue de garder un œil sur Brian !

– Oui, articula Jackson, la main plus inerte sous l'assaut du sommeil, sans pourtant lâcher Megan. Gare à toi, Brian ! Plus question... de grimper... aux arbres...

Megan s'attacha à regarder se former une petite bille écarlate qui chuta dans l'océan rouge. Lentement, progressivement, le sang neuf allait parcourir le corps de Jackson. Une goutte après l'autre. Une pulsation après l'autre. Pour le maintenir en vie.

La main de Jackson se détendit complètement. Megan observa son visage qui lui aussi sombrait dans le sommeil. Elle resta à le contempler, encore et encore, jusqu'à ce que sa respiration se fît plus profonde et plus lente.

Ses lèvres étaient sèches, craquelées ; elles risquaient d'être douloureuses à son réveil.

Ôtant doucement sa main de la sienne, elle attrapa son tube de pommade dans sa poche et, du bout de l'index, déposa une fine couche de baume sur la bouche qui savait si bien sourire et conter des histoires, la bouche qui était maintenant silencieuse, immobile, et qui cependant frémit comme si leurs deux chairs se rencontraient, pour cet instant-là et pour tous les autres.

Elle aurait aussi caressé son visage, chaque parcelle de peau ; elle aurait passé les doigts sur sa tête, sur son crâne ; elle aurait suivi la courbe de son front, le renflement de ses paupières closes, la ligne de ses pommettes, si harmonieuses, si saillantes qu'un artiste eût aimé les dessiner, un sculpteur les ciseler ; elle se serait allongée à ses côtés sur le lit, si cela avait pu empêcher tout nouvel assaut malin contre lui.

Megan se leva, il fallait le laisser à présent, mais elle pressa sa main une dernière fois et l'embrassa légèrement au creux de la paume.

Il était temps de partir.

Il lui semblait que sa main portait de sourdes et ténues traces de Jackson, pareilles à des baisers qui s'attardaient sur sa peau.

13

Megan croyait aux miracles. Ils se produisaient quand on les attendait le moins, estimait-elle. Parfois elle priait pour qu'ils adviennent, mais pas comme priait Mme Lemon, en égrenant un chapelet ou en allumant des cierges à l'église.

Le miracle auquel elle aspirait le plus en ce moment eût été de descendre au bloc opératoire et que le chirurgien découvre que sa tumeur avait complètement disparu. Et si ce n'était pas possible, simplement de voir Jackson avant de partir.

Sauf que cela semblait tout autant impossible.

Il ne pouvait pas venir la voir. Elle n'était pas autorisée à aller le trouver. Il était trop tôt, il dormait, encore très diminué à la suite de son opération.

Cela faisait de trop nombreuses raisons. Siobhan dit qu'elle pourrait lui faire un signe en passant devant sa chambre, ça irait?

Non, ça n'allait pas. Elle avait achevé son portrait la veille au soir, restant éveillée jusque tard pour le terminer. Elle voulait le lui montrer avant de se faire opérer. Résultat, elle se mit *dans un tel état* – pour citer Siobhan – qu'il fallut lui donner quelque chose pour la calmer. Le cachet la rendit molle et brouillardeuse, son élocution difficile.

– Y-peut-vraiment-pas-venir ? supplia-t-elle de nouveau.

– Il doit rester alité. Il a subi une lourde opération hier.

– Mais-j'veux-l'voir.

Siobhan lui tapota la main.

– Je sais, mais... il y a sûrement quelqu'un d'autre que tu serais heureuse de voir...

Megan leva péniblement les yeux. Siobhan faisait sa mystérieuse avec ce sourire et ses paroles incompréhensibles.

– ... Et justement, ce quelqu'un est venu. Une vraie visite surprise.

Elle s'écarta et il apparut, là, à côté du lit.

– Papa ?

Il lui fallut un moment pour ajuster sa vision et acquérir une absolue certitude. Oui, c'était bien son père qui se tenait là, bronzé, basané même, en chemise blanche, et qui lui souriait. Ses yeux toujours bleus, ses cheveux toujours gris et fins, la taille un rien enveloppée, contre laquelle on aurait voulu se pelotonner.

Sauf qu'il n'aurait pas dû être là.

– Est-ce-que-je-vais-mourir ?

Subitement, Megan était convaincue de sa fin prochaine. Cela arrivait chez les cancéreux. Ç'avait été pareil pour Sardine. Voilà pourquoi son père était venu. C'était forcément la raison.

– Bien sûr que non, sosotte.

Il se pencha et lui déposa un baiser sur le front.

– Où est maman?

– Derrière moi, tu la vois?

En effet, elle était là aussi, toute souriante.

– Bonjour, ma chérie. C'est une belle surprise d'avoir ton papa, non?

Megan se renfrogna puis regarda son père.

– Pourquoi-t'es-là? J't'avais-dit-d'pas-venir.

– Parce que tu vas te faire *opérer*. Avec tout le boulot que j'ai abattu, il ne manquerait plus que je ne puisse pas rentrer chez moi pour cet événement! Papy n'étant pas là pour surveiller l'équipe médicale, la responsabilité me retombe dessus, ajouta-t-il avec un rire sourd. J'aurais voulu venir hier soir mais l'avion a eu plusieurs heures de retard. Ma présence ne te chagrine pas trop, quand même? conclut-il en accrochant sa veste au portemanteau.

Elle lui avait fait promettre de ne pas venir, or il était là. Ce n'était pas bien... en même temps...

– J'vais-pas-mourir-alors?

– Non. Pas question.

– Tu-s'ras-là-quand-j'remonterai?

Il s'assit près du lit et boxa tendrement le bras de sa fille.

– Qu'ils essaient de m'en empêcher! J'attendrai ici le temps qu'il faudra. Avec maman.

– Ça-va-durer-combien-de-temps ?

Il y eut un instant d'hésitation. Son père eut l'air de chasser quelque chose de ses yeux.

– Quelques heures peut-être, répondit sa mère.

– Mais pour toi, reprit son père en lui envoyant une nouvelle bourrade affectueuse, ce sera comme une minute. Tu n'auras conscience de rien avant ton réveil.

Megan ferma les yeux. C'était plus facile que de les maintenir ouverts, mais, brusquement, elle se mit à pleurer sans rien pouvoir y faire. Peut-être était-ce le soulagement de voir son père, peut-être l'appréhension de l'opération.

– Allons, petitoune. Ne t'inquiète pas.

Il lui tamponna les yeux avec un mouchoir en papier, mais elle ne parvenait pas à s'arrêter. Les larmes ruisselaient sur ses joues, sur son oreiller, lui coulaient dans les oreilles. Un robinet ouvert à fond.

– Ils savent où se trouve la tumeur, reprit sa mère, et il est prévu que l'opération dure un peu longtemps... mais a priori elle ne présente pas de complications... Tout sera fait pour que tu te sentes le mieux possible ensuite, et que tu ne souffres pas.

La voix de son père intervint, douce, convaincante :

– Des injections, par le cathéter. Tu ne sentiras rien.

Les paroles étaient inutiles car Megan n'arrivait pas à retenir ses larmes. Sa mère lui pressa la main.

– Tout va bien se passer, ma chérie.

– Allons, petitoune, fais-nous un bisou, dit son père.

Et dès ton retour dans le service, nous appellerons Papy. Il a promis d'attendre près du téléphone.

On lui avait posé sur le ventre, presque en équilibre, des feuilles de transmission et des radios. C'était pesant, compact. Siobhan était là, ses parents aussi, se tenant par la main. Tous étaient à l'envers. Le plafond défilait. On avançait dans un couloir. L'homme qui poussait le lit bavardait avec ses parents. Il racontait qu'il venait de Pologne. Comme ce footballeur – quel était son nom, déjà ? Elle inclina la tête pour voir l'homme venu de Pologne, mais il était à l'envers, lui aussi. Ça clochait.

Des images. Coquelicots dans des champs. Paysages. Un enfant avec de grands yeux ingénus. Un cheval. Des panneaux indiquant des lieux où Jackson serait parti. Toutes ces images voguaient lentement. Ses parents lui parlaient à présent. Elle allait bientôt revenir dans ce couloir, disaient-ils. Puis un virage, une porte franchie, deux.

– Papa ?

– Je suis là, titoune. Maman aussi. On peut rester auprès de toi jusqu'à ce que tu voies l'anesthésiste.

Ils étaient dans une salle tapissée de placards en miroirs, avec une lumière violente et des gens habillés en vert.

– Bonjour, Megan. Tu te souviens de moi ? Docteur Singh, l'anesthésiste. Je suis venue te voir dans le service. Tu te rappelles ?

Elle avait une voix limpide pleine de rire, pleine de

sourire. Elle portait une marque rouge au milieu du front.

– Ouiii, répondit Megan.

– Bien, ma belle. Je vais mettre cette aiguille dans ta main et te donner quelque chose qui va te faire dormir très vite.

– Nous attendrons à côté, murmura sa mère comme elle eût confié un secret destiné à elle seule. De l'autre côté de cette porte. Dès que tu dormiras. Nous serons là, papa et moi.

– Ouiiii, fit Megan.

– Allons-y, ma belle. J'enfonce l'aiguille, ça ne se sent pas plus qu'une petite égratignure.

Juste une petite égratignure. Il y eut un claquement sec.

Une infirmière arriva avec une seringue emplie d'un liquide d'apparence laiteuse. Elle sourit à Megan, qui battit des paupières mais fut incapable d'articuler une syllabe.

– Maintenant, dit l'anesthésiste, je vais te demander de compter jusqu'à dix. Tu veux bien, ma belle ? Comptons ensemble... Un... deux...

– ... trois...

Des doigts frais sur son poignet, simplement posés, doucement. Une légère pression.

– Pouls à 84.

Quelque chose autour de son bras, un chuintement et un sifflement, ça serre de plus en plus, jusqu'à faire mal et que son sang s'arrête. Puis ça revient lentement, poum, poum, poum. Un nouveau chuintement et la pression cesse.

– Tension à 10/6.

Réveillée. Presque. Endormie. Presque. Une délicieuse somnolence, un entre-deux qui enveloppait et berçait telle une brume. Elle ne pouvait rien saisir. Rien retenir. Le sommeil venait mais ne restait pas. Elle voulait qu'il reste, garder les yeux fermés, empêcher ses paupières frémissantes de s'ouvrir, or le sommeil repartait, la veille revenait.

Des mots. Partout autour d'elle. Elle les reconnaissait mais n'identifiait pas les voix.

Où était-elle ? Bah, quelle importance ? C'était un état agréable. Voguer du dedans au dehors des nuages et du sommeil et des vagues et de la chaleur.

Agréable. Agréable.

Elle ouvrit les yeux pour découvrir des rangées de lumières suspendues au-dessus d'elle. Trop vives. Elle referma les yeux. Les lumières restèrent telles des images gravées.

Quelque chose autour de sa tête. Un bandage. Elle ne sentait pas ses oreilles. Peut-être étaient-elles parties ailleurs. Non.

– Megan... coucou, Megan. C'est l'heure de se réveiller.

Une main chaude s'empara des siennes.

– Allons. Ouvre les yeux, Megan.

Elle essaya mais ses paupières étaient collées.

– Serre-moi la main. Vas-y.

Serre.

– Recommence, serre fort.

Serre fort.

– Elle va bien. On peut la reconduire dans le service.

Un rêve. Rien qu'un rêve.

Mais il y avait son père.

Un miracle.

14

Megan ne se rappelait rien de la période qui avait suivi son opération. Ce n'était qu'un grand blanc. Elle avait été très malade, avec une forte fièvre, lui dit-on plus tard en lui montrant la courbe qui avait grimpé presque à la verticale sur sa feuille de température. Elle avait été entre la vie et la mort, ajoutait-on, réellement entre la vie et la mort.

Ce ne fut que lorsque la courbe entreprit de s'inverser sur le graphique, non sans quelques caprices, que Megan commença à se sentir mieux et le grand blanc à se remplir de sons, de mots, de présences, sauf qu'ils étaient pareils à des pièces de puzzle éparses. Il lui fallut un temps fou pour les assembler et, quand elle eut terminé, Jackson n'était pas là. Siobhan non plus, ni l'infirmière chef, Mme Brewster. Où étaient-ils, tous? Les questions cognaient dans sa tête. *Où suis-je? Suis-je au bon endroit?*

Elle n'était entourée que d'infirmières inconnues, qui organisaient et contrôlaient les soins, la lavaient car elle était incapable de procéder elle-même à sa toilette.

Quand, enfin, elle put se tenir assise, affaiblie et tremblante, elle se trouvait dans son ancienne chambre et l'on parlait de son retour au domicile familial, le meilleur endroit pour elle maintenant que l'opération avait eu lieu et qu'elle était en voie de guérison. Or, elle ne voulait pas rentrer à la maison, pas si Jackson devait revenir.

Il fallait qu'elle le voie.

Les jours passèrent inexorablement, et quand le dernier arriva, Jackson n'était toujours pas revenu. Ou peut-être l'était-il et n'avait-on pas voulu l'en aviser. Oui, bien sûr, c'était ça. On ne voulait pas qu'ils soient ensemble. Quelqu'un avait dû les surprendre l'autre fois dans sa chambre. On avait mis Jackson dans le quartier des adultes afin de les séparer.

Plutôt chancelante, Megan entreprit de faire le tour du service à la recherche de Jackson : elle ne trouva que des enfants. Des très jeunes. L'un d'entre eux était branché sur respirateur, un masque à oxygène sur le visage. Il était d'une pâleur terrible, à l'exception de ses joues qui brillaient comme deux petites pommes rouges.

Des parents jouaient avec leur petit, ou lui faisaient la lecture, ou simplement lui tenaient la main. Un bambin vomit dans une cuvette et examina le résultat avec une surprise totale. Il était chauve comme un œuf.

Une fillette était couchée sur le dos, une perfusion dans le bras. Elle dormait profondément. Peut-être avait-elle été opérée. Peut-être allait-elle l'être. En tout état de cause, sa mère semblait exténuée, le buste appuyé au pied du lit, les paupières closes, les cheveux en queues de rats.

Le pouf en forme de pieuvre était à sa place habituelle, calé dans un coin. Les dauphins continuaient de nager sur les murs. De jolies étoiles de mer, des coquilles Saint-Jacques, des sirènes, des hippocampes étaient collés sur les vitres. Comment, pourquoi n'avait-elle pas remarqué ce monde sous-marin avant ? Peut-être en avait-elle trop marre à l'époque pour y prêter attention – ça remontait à si loin.

S'approchant de l'ancienne chambre de Jackson, elle découvrit que son lit était occupé par quelqu'un d'autre. Une fille, à peu près du même âge que lui. Ça lui causa un choc. La fille tourna la tête, regarda Megan. Elle était blême, menue, elle avait les bras comme des brindilles, des yeux immenses. Son corps formait à peine un renflement sous le drap.

Poste de soins. Mme Brewster était là et s'entretenait avec une aide-soignante.

– Où est Jackson ? questionna Megan sans se soucier d'interrompre la conversation.

Les deux femmes échangèrent un regard et l'aide-soignante s'empressa de ramasser quelques feuilles de papier et de filer.

– J'étais occupée, Megan. Tu as dû t'en rendre compte.

– Oui, mais où est-il ?

Elle se sentait faible à présent, après son errance dans le service ; elle avait envie de s'asseoir, mais elle n'en ferait rien. Pas avant de savoir.

L'infirmière chef rassembla quelques papiers, les mit bien d'équerre comme si le bon fonctionnement du service en dépendait. Un jeune médecin que Megan ne reconnut pas déboula alors dans le bureau, attrapa un stéthoscope et ressortit.

– J'ai oublié ça, lança-t-il au passage. Salut, Megan. Tu as l'air en pleine forme ! Tu pars aujourd'hui, c'est ça ?

Sans attendre de réponse, il s'éloigna à grands pas.

Megan reporta son attention sur l'infirmière, décidée à rester jusqu'à ce qu'on lui fournisse une réponse. Un bébé émit un faible vagissement dans une pièce voisine. Quelqu'un lui parla doucement.

– Il est rentré chez lui, Megan. Tu le sais déjà. Tu as interrogé tout le personnel, dit Mme Brewster d'une voix lasse où perçait néanmoins une espèce de douceur.

– Je pensais qu'il devait suivre d'autres traitements, persévéra Megan. Il m'a dit ça, avant d'être opéré.

Elle attendit, immobile. L'air concentrée, Mme Brewster regarda ses papiers durant quelques secondes.

– Oui, c'est exact, mais... certains traitements peuvent être administrés à domicile. C'est même préférable, franchement. Plus confortable. Pas de restrictions. Tout le monde y trouve son compte...

Megan s'attendit à un sermon concernant les règlements, les infractions, les coupes de cheveux improvisées, les rasoirs hasardeux, les incursions à la morgue, les nuits blanches... Il n'y eut rien de tel. L'infirmière se contenta de presser sa liasse de papiers sur sa poitrine.

– Est-ce qu'il va revenir ?

– Non, Megan, il ne reviendra pas.

Megan abaissa les yeux vers ses chaussons. Sa mère les lui avait achetés exprès. Elle détestait les chaussons, détestait devoir les porter. Ils lui donnaient l'impression d'être un bébé.

– Il ne reviendra jamais ?

– Non, fut la réponse, douce, définitive. Jamais.

Mais comment était-ce possible ? Jackson ne serait pas parti sans dire quelque chose. Au moins au revoir.

Megan chercha les yeux de l'infirmière. Elle s'accrocha à ce regard, déterminée à ne pas lâcher la première, déterminée à obtenir une réponse différente. Tant pis si le service devait en pâtir, tant pis si quelque part, tout près, le bébé aux vagissements faiblards continuait de chouiner sans qu'on lui porte secours.

Elle voulait une autre réponse.

Qui ne vint pas.

15

Un rêve. Tout est confus, tout se désagrège. Une marionnette sans ses fils. Trop tôt, trop sombre. Tenter de saisir quelque chose, qui échappe.

– Megan, ma chérie. Je dois bientôt m'en aller.

Tout se murmure, comme des secrets.

– Allons, chérie, debout. Je préfère prendre la route à cette heure-ci, il va y avoir un peu moins de circulation. J'en ai quand même pour deux bonnes heures.

L'anniversaire de Papy. Oh non. La fête à laquelle elle ne voulait pas se rendre. Et sans savoir comment le dire.

La main fraîche de sa mère sur son front.

– Tu te sens bien ?

Comment pourrait-elle jamais se sentir *bien* à nouveau ?

– Bien sûr, maman. Juste oublié de mettre mon réveil.

Voilà longtemps qu'elle n'avait pas eu à mettre son réveil.

– Tu te sens mieux, dis ?

Trois mois s'étaient écoulés depuis sa sortie de l'hôpital. Megan sourit, afin de rassurer sa mère. Se montrer gaie. Joyeuse. Donner le change. Assurer que tout va bien. Tranquille.

– Arrête de te tracasser, maman.

La plupart du temps, elle se sentait réellement mieux. Elle était contente d'en avoir fini avec le service, les éléphants sur les rideaux, les poufs en forme de pieuvre, les mioches et Mme Brewster.

Sauf que.

Megan glissa les doigts sous l'oreiller... histoire de... histoire de voir si tout était encore là. Et bien sûr c'était là. Aucun sortilège ne les avait fait disparaître. Rien n'avait ce pouvoir.

Sa mère ouvrit les rideaux, le soleil se déversa dans la chambre. Elle portait un peignoir de son père. En tissu éponge bleu. Sur une espèce de haut court qui formait un paquet autour de sa taille, si bien qu'elle paraissait grosse et engoncée. Ses cheveux étaient mouillés après la douche, ses joues roses.

Pourquoi restait-elle plantée là si elle était à la bourre ?

– Qu'est-ce qu'il y a ?

– Je me demandais... Si tu avais... changé d'avis... pour l'hôpital ? Je pourrais faire un détour. C'est exceptionnel, cette nouvelle unité, et tu as été invitée.

Non, elle n'allait pas remettre ça.

– Simplement pour dire bonjour. Mme Brewster a dit qu'elle aimerait beaucoup t'y voir.

– Maman !

– C'est quand même *l'inauguration*. C'est important. Il y aura un membre du Parlement, venu de Londres, et cette spécialiste de radiothérapie – comment s'appelle-t-elle, déjà ? Je ne m'en souviens pas. Enfin, tu vois.

– Maman...

– Sans oublier la presse. La télévision. C'est un événement.

Les mots s'enchaînaient en une longue suite ininterrompue.

– C'est sur mon chemin et il y a un bus direct qui peut te ramener ici ensuite. Ils ont créé une nouvelle ligne.

N'allait-elle jamais, jamais laisser tomber ?

– Je n'ai pas *envie*, maman. Je te l'ai dit et répété. Chaque fois que tu me poses la question. Je me fous de cette inauguration débile. Tu peux remettre ça sur le tapis autant que tu veux, ça ne me fera pas changer d'avis.

Sa mère parut déçue.

Elle le serait encore plus quand elle apprendrait que Megan n'allait pas non plus chez Papy. Cela allait bouleverser ses plans soigneusement élaborés – elle partant la première en voiture, avec les bagages de tout le monde, tandis que Megan attendrait le retour de son père à la maison pour ensuite effectuer le trajet en train avec lui.

Mais... une déception à la fois...

– D'accord. Si c'est ce que tu souhaites, soupira sa mère.

– C'est ce que je souhaite. Tu le sais, conclut Megan.

Elle refusa de regarder sa mère, refusa même de regarder dans sa direction, pas avant d'entendre la porte s'ouvrir, se refermer, et de la savoir de l'autre côté.

Mais sa mère n'était pas encore partie.

– Tu sais, ma chérie. Je suis là si tu as besoin d'en parler...

Megan ne répondit pas, n'essaya pas de dire ce qu'elle avait remis à plus tard. Elle se contenta d'écouter la porte se refermer et les pas s'éloigner.

Sous son oreiller se trouvaient le portrait, qu'elle adorait, et la lettre, qu'elle haïssait. Tous deux pliés en petits carrés. Toute sa personne gisait désormais dans ces petits carrés de papier. La Megan qu'elle était autrefois, à l'hôpital. Elle s'efforça de ne pas y penser. Mais c'était une douleur que rien ne pouvait endiguer – ni bannir loin d'elle.

– Que vais-je faire de toi ? fit sa mère d'une voix sur le point de se briser, comme une corde trop tendue. Dis-le-moi, parce que moi, je n'en sais plus rien.

Elle se tenait debout près du grille-pain. Une fumée noire s'échappa de l'appareil électrique en même temps que jaillissait un toast brûlé.

– Tiens, voilà le résultat. Et il n'y a plus de pain.

Comme si c'était sa faute à elle. Tout ce qui clochait dans le vaste monde. Megan attendit que sa mère se ressaisisse, cesse de la blâmer pour une tartine cramée ou d'essayer de la faire aller où que ce soit. Elle avait quatorze ans maintenant, elle était assez grande pour se prendre en charge. Elle aurait aimé avoir l'air désolée de causer tant de tracas. Elle aurait aimé montrer qu'elle savait combien ç'avait été dur pour ses parents, entre le cancer, l'hôpital, les soucis et tout.

Hélas, elle n'y parvenait pas.

– Je ne veux pas y aller, un point c'est tout. Je sais que j'aurais dû t'en parler plus tôt.

Sa mère gratta le toast à gestes rapides et brutaux. Les miettes volèrent puis dévalèrent dans l'évier, minuscules tavelures noires éparpillées sur l'émail blanc.

– Ç'aurait été *obligeant* de ta part, en effet.

Maintenant le beurre, appliqué à la va-vite. Il y en avait plus que de pain.

– Où ne veux-tu pas aller, exactement ? Chez Papy ? Ou à l'inauguration de la nouvelle unité ? Dans les deux cas, les gens seront déçus. Et même blessés. C'est ce que tu souhaites ? Causer de la peine aux gens après tout ce qu'ils ont fait pour toi ?

Je t'en prie, maman !

– Je ne veux pas aller à une fête. N'importe quelle fête. Même pas celle de Papy.

– C'est son *quatre-vingt-seizième anniversaire* ! Il risque de ne plus être là pour le prochain.

Sa mère croqua dans son toast. Il explosa en débris qui volèrent partout.

– Oh, pour l'amour du ciel !

Megan respira un grand coup et entreprit de nettoyer la table.

Chaque année, c'était la même chose. Papy risquait de ne pas voir son prochain anniversaire.

Certes, c'était la stricte vérité. Ce pouvait être son dernier anniversaire. Personne ne vit éternellement.

Certains vivent à peine.

– Je n'aurais pas dû proposer que tu attendes le retour de ton père.

Sa mère s'affairait à rassembler les derniers bagages.

– Je me demande où j'avais la tête.

– Gemma sera avec moi, dit Megan en s'efforçant d'afficher un air convaincu.

– Je laisse ton père s'en débrouiller. Il ne sera pas d'accord pour que deux gamines de quatorze ans restent toutes seules. Pas une semaine entière. Ça finira par se savoir. N'importe qui va s'amener dans l'espoir de tomber sur une rave party.

Elle casa sa valise dans le coffre. Le dernier bagage était embarqué.

– Ce n'est sans doute même pas légal.

Un dernier tour dans la maison afin de vérifier qu'elle n'avait rien oublié lui permit de revenir à la charge. Sac. Clés. Porte-monnaie. Le chemisier bleu – non, celui-là était déjà dans la valise. Les sandales argentées pour aller avec sa robe. Le cadeau d'anniversaire. Des fleurs pour Mme Lemon. Si sa fille chérie daignait changer d'avis, elle pouvait attendre sans problème une dizaine de minutes supplémentaires, le temps que Megan fasse son sac, ce qui lui éviterait de se trimballer ses affaires dans le train... Celles de papa étaient déjà dans la voiture...

Elle continua ainsi un bon moment. Megan se taisait.

– Je me demande ce que je vais dire à Papy. Tu as toujours assisté à ses anniversaires. Depuis ta naissance

Sa mère la dévisageait avec une perplexité totale.

Si seulement Megan avait su mieux s'expliquer. Elle ne se sentait pas de faire la fête mais il ne s'agissait pas seulement de cela. Elle abaissa le regard vers ses pieds, ses orteils recroquevillés sur le tapis, le vernis vert qu'elle s'était mis sur les ongles la veille. Ça avait bavé sur le côté de son petit orteil. C'était franchement moche.

– Il comprendra, non ? J'ai été malade. Il me répète au téléphone que je dois prendre le temps de me remettre. Dis-lui que ce n'est pas encore ça.

Sa mère lui lança un regard éclair.

– Tu vas mieux, tu es rétablie. C'est ce qu'ils ont dit à l'hôpital.

Traversant le salon à pas décidés, elle gagna la petite niche proche de la cheminée et en sortit une boîte qu'elle brandit sous le nez de sa fille. Cette boîte avait contenu les compresses stériles, les pansements, le sparadrap, la serviette, tout le matériel nécessaire à l'entretien de son cathéter quand elle était à domicile. Cette boîte ainsi que son contenu lui rappelaient immanquablement qu'elle avait eu un cancer.

– Regarde. Tu vois ? Elle est vide. J'ai tout jeté. Et voilà ce que j'en fais. Direction poubelle.

Elle écrasa impitoyablement la boîte, retraversa l'entrée, fonça dans la cuisine et balança l'emballage démantelé dans le sac des produits destinés au recyclage. Faisant volte-face, elle revint vers Megan, fulminante. Cette colère soudaine, et qui lui ressemblait si peu, fit tressaillir Megan.

– Tu vas *mieux*, répéta-t-elle.

Puis, brusquement, sa fureur retomba. Elle s'effondra sur la chaise proche du téléphone, le visage encore marbré par la colère.

– Oh, mon Dieu ! Je me comporte comme une folle.

Megan en eut le ventre serré.

– Je suis désolée. Sincèrement. C'est juste...

Oh, pourquoi ne parvenait-elle pas à expliquer ? Pourquoi sa mère ne voyait-elle rien ? En même temps, comment aurait-elle pu alors que Megan ne comprenait pas elle-même ?

– Oui, oui, je sais que tu es désolée, soupira sa mère en fermant les yeux. Et moi aussi.

Le silence s'installa, ponctué par le tic-tac de l'horloge de la cuisine. La grande aiguille tremblotait à chacune de ses avancées, comme si le temps était trop lourd à pousser, comme si elle savait qu'un arrêt entraînerait une série de catastrophes, les gens perdus, suspendus entre les secondes.

Megan ne savait que faire ni que dire ; elle ne voulait pas que sa mère prenne le volant dans cet état – état dont, encore une fois, elle était responsable. Elle risquait l'accident.

– Tu veux une tasse de thé avant de partir ?

Sa mère poussa un soupir, se remit debout, arrangea ses vêtements comme si son agitation et sa colère les avaient chiffonnés.

– Non merci. Ça va maintenant. Je m'arrêterai boire un café à mi-chemin.

Elle tendit les bras dans un geste d'excuse qui semblait dire que tout était sa faute, cet emportement, cette perte de contrôle inattendue. Megan s'approcha d'elle et se laissa étreindre.

Sa mère allait enfin prendre la route. Megan promit de bien s'occuper de son père lorsqu'il rentrerait le lendemain et de veiller à ce qu'il ait une bonne nuit de sommeil avant de prendre le train pour chez Papy. Il ferait un piètre convive à la fête s'il souffrait du décalage horaire.

– Et si jamais tu changes d'avis, ton billet est là. On ne peut pas se le faire rembourser. Ce serait du gaspillage, vraiment, de ne pas l'utiliser.

Megan ignora cette remarque aussi gentiment que possible et dit qu'elle allait appeler Gemma pour convenir de la date de sa venue. Il y avait des tas de provisions dans le congélateur. Elles seraient très bien. Inutile de s'inquiéter.

Sa mère dut se satisfaire de ces dispositions ; elle prit la route avec un geste désabusé qui semblait dire : *ces ados, pourquoi faut-il qu'ils soient si difficiles?* Elle ignorait que Gemma se rendait à un concert avec les Jumelles et ne pourrait donc venir passer la nuit à la maison. Elle ignorait qu'en réalité Megan ne voulait pas de la présence de son amie et ne lui avait rien demandé. À quoi bon?

Megan ne voulait qu'une seule personne.

Son père tenterait une négociation. Il s'en acquittait chaque fois que sa femme l'exigeait.

Il était indulgent, cependant; c'était lui le plus coulant, tandis que sa mère pouvait être d'une dureté de pierre. C'était lui qui pouvait se laisser fléchir. Ce serait OK. Megan l'expédierait sans problème chez Papy – mais sans elle.

Alors elle serait seule.

Personne pour s'agiter autour d'elle. Pour lui dicter sa conduite maintenant qu'elle allait mieux. Savourer le présent. Regarder vers l'avenir. Revenir sur les rails. Voilà ce que tout le monde lui serinait. Comment se conformer à leurs vœux au juste? Quand le présent n'était qu'un trou noir à l'intérieur de soi? Quand l'avenir était tellement loin qu'on ne l'entrevoyait même pas? Quand les rails ne menaient plus nulle part?

Tout était différent désormais. Avec Gemma, ça ne collait plus, encore moins avec les Jumelles. Pas plus avec Papy. Avec personne. Ni ses parents. C'était comme être coincée entre deux mondes, sans savoir comment revenir, sans savoir lequel choisir. Sans avoir envie d'aucun.

Gemma avait téléphoné un moment plus tôt pour lui demander si elle voulait assister au concert. Ce n'était pas un groupe super ni rien, mais quelques gars du collège en faisaient partie – qui les connaissaient, les aimaient bien, etc.

Megan avait brandi l'excuse de l'anniversaire de son grand-père.

– Oh, j'avais oublié.

Gemma n'oubliait jamais une fête, et puis elle avait rencontré Papy lorsqu'il était venu voir Megan entre deux traitements. Il avait promis de les inviter, elle et les Jumelles, à l'occasion d'une prochaine célébration.

– Souhaite-lui bon anniversaire de ma part.

Un moment plus tard, Megan s'examina dans le miroir afin de voir si la multiplication des mensonges finissait par se lire sur un visage. Apparemment non. Elle passa la main dans ses cheveux châtains, courts et drus. La cicatrice était encore là. Même à présent, elle tressaillait quand ses doigts rencontraient le discret renflement, courbe et effilé. Ça ne faisait pas mal, ça n'avait pas fait mal depuis un temps fou. Ce qui était douloureux, c'était plutôt l'idée de sa présence, la raison de sa présence. C'est ce qui la faisait frissonner.

Il y avait un pot de gel dans le tiroir de la salle de bains. Megan en étala une noisette sur ses cheveux pour voir l'effet. Elle grimaça. Une tête-de-loup, ce truc pour nettoyer les plafonds. La boule hérissée au bout du long manche maigrichon que constituait le reste de sa personne.

Pas terrible comme look. Ça n'allait pas, à l'extérieur de l'hôpital, hors du service.

Elle se fit couler un bain, les deux robinets grands ouverts projetant sur le fond de la baignoire tapissé de plastique vert des cascades qui rebondissaient en nuages vaporeux. Ça produisait un tel vacarme qu'elle ne risquait pas d'entendre le téléphone s'il se mettait à sonner. Elle ferma aussi la porte, poussa la ventilation à son maximum et monta le volume de la radiocassette à fond – même si celle-ci émettait plus un vrombissement que de la musique. Le répondeur se chargerait d'écouter Papy, si celui-ci appelait, ou sa mère, ou même son père qui aurait peut-être l'idée d'entreprendre les négociations depuis quelque aéroport planté au milieu de nulle part.

Eh bien, qu'il essaie. Qu'il discute avec sa propre voix lui disant *Nous ne pouvons vous répondre pour le moment, laissez-nous un message, nous vous rappellerons dès que possible*. Et qu'il attende.

Elle n'irait pas à la fête d'anniversaire.

Généralement, Megan ne prenait pas de bain. C'était le truc de sa mère quand elle voulait se détendre, se débarrasser des soucis de la journée, comme dans les publicités – elle avait un flacon de liquide bleu destiné précisément à cet usage. Megan en versa un peu. Puis un peu plus. La mousse commença à se former sous la cascade, une multiplication de galaxies. Elle devint si dense et si volumineuse qu'il sembla qu'elle étouffait le son de la bande magnétique. La vapeur monta jusqu'au plafond, s'épandit en volutes paresseuses. Les carreaux de miroir au-dessus des robinets s'embuèrent.

Megan s'allongea dans le bain jusqu'à ne plus voir dans la glace qu'un boa de mousse qui lui cernait le cou, une barbe moussue qui lui soulignait le menton et gouttait de ses oreilles. L'eau chatoyait de bulles scintillantes et bientôt son reflet s'effaça dans la vapeur.

La fête d'anniversaire avait donné lieu à de sérieuses discussions entre sa mère et Mme Lemon. Qui viendrait, qui ne viendrait pas. Quoiqu'elles ne puissent rien en savoir par avance. Les gens de la maison de retraite du village seraient là. Ils avaient spécialement reçu la visite de Papy venu leur rappeler qu'il leur faudrait se mettre sur leur trente et un quand le grand jour arriverait. Ça équivalait à Noël, la fête de Papy.

Il appelait les pensionnaires de la maison de retraite « les pauvres vieilles âmes » et marmonnait des commentaires genre *Ç'aurait pu être moi... Ça n'arrive pas qu'aux autres... Privés de la grâce de Dieu...* Lorsqu'elle était petite, Megan comprenait *privés de la* grappe *de Dieu...* Elle imaginait une grappe de raisin et ne voyait pas ce que voulait dire son grand-père – sinon que ce n'était guère réjouissant. Papy n'avait jamais aimé le raisin. Les pépins se coinçaient dans ses dents. Il avait encore ses vraies dents. Exceptionnel à son âge.

Papy prévoyait, quand il aurait atteint son siècle

d'existence et que la reine lui enverrait son télégramme de félicitations, de renoncer aux grandes célébrations pour se contenter d'une petite réunion intime dans son salon, avec quelques verres de sherry et un gâteau à la crème industriel, ainsi que le faisaient les pauvres vieilles âmes.

D'ici là, disait-il, peut-être aurait-il le sentiment d'avoir rejoint leur triste cohorte. Mais jamais il n'irait en maison de retraite. S'il perdait la boule, disait-il, ou s'il ne pouvait plus descendre au port, il faudrait qu'on l'abatte d'une balle, comme on achève les chevaux. Il n'irait pas dans l'un de « ces endroits ». Il préférait avoir affaire à cette Anasthasie – c'était sa blague, pour ne pas dire « euthanasie ». Il ne transigeait pas : si la vie ne valait plus le coup, il ne voulait pas continuer.

Megan agita les orteils pour disperser la mousse qui les recouvrait. Certaines personnes n'avaient pas ce choix. Pour certaines personnes, la vie ne durait pas la moitié de celle de Papy, pas le quart.

Encore moins.

Ses calculs la firent descendre jusqu'au dixième.

La mousse savonneuse glissait loin d'elle en de lents bancs de poissons chatoyants, puis revenait, comme attirée par sa peau. Le bain refroidissait. Il n'y avait plus de place pour ajouter de l'eau chaude. Le niveau lapait déjà la grille du trop-plein.

Megan s'assit dans la baignoire et entreprit de se savonner. À mesure qu'elle remuait, les bulles autour d'elle éclataient, des myriades d'entre elles disparaissant dans un pétillement d'explosions microscopiques. Les dernières luttèrent, guère longtemps. Elles aussi disparurent, leur vie minuscule achevée, comme de rien.

16

Quand le téléphone sonna, Megan devina qu'il s'agissait de sa mère. C'était l'heure de *EastEnders*. Mme Lemon avait dû se coller devant la télé. Sa mère détestait ce feuilleton, Papy aussi.

– Juste pour m'assurer que tu vas bien.

Elle ne semblait plus en colère, seulement résignée.

– J'ai transmis ton message, mais Mme Lemon assure qu'il ne peut pas y avoir de fête convenable sans ta présence, que tu vas donc te sentir mieux très vite et nous rejoindre.

Il y eut un rire étouffé derrière.

– Et quelqu'un d'autre veut te parler...

Dans le silence qui suivit, Megan imagina sa mère passant le combiné à Papy, et la vieille main s'en emparant maladroitement – après tout ce temps, il ne s'était jamais habitué à l'objet.

– Salut, ma biquette, dit-il enfin.

Entendre son timbre ténu et mélodieux évoqua pour Megan la soupe maison de Mme Lemon, agrémentée de petits dés de jambon et de lentilles. Ça lui donna faim. Ça lui donna l'impression que le grand trou noir s'agrandissait à l'intérieur d'elle. Ça lui picota les yeux.

– Je suis désolée de ne pas venir, Papy.

– Je le pensais bien, mais il n'y a pas de problème.

– Vraiment?

– Bien sûr, ma biquette, rétorqua Papy avec un de ses petits rires. Si tu ne te sens pas d'humeur à faire la fête, qui suis-je pour t'y obliger? «Nous aurons toujours Paris», pas vrai?

Il n'était jamais allé à Paris, il n'avait jamais quitté son village, avec sa jambe estropiée on ne l'avait même pas autorisé à faire la guerre. Il n'avait jamais rien fait de sa vie, avait-il dit un jour. Mais il aimait beaucoup ce film. *Casablanca*.

– Toujours, répondit Megan.

– Tu pourras venir après la fête pour un jour ou deux.

Sa mère se tenait-elle auprès de lui et lui soufflait-elle ce qu'il fallait dire?

– Mais je reprends bientôt l'école, Papy, en septembre. Dans une semaine et demie.

Le grand-père garda un moment le silence, comme s'il essayait de résoudre un problème.

– Oui, évidemment. J'avais oublié ça, dit-il.

Il affichait une gaieté qui ne paraissait pas feinte. Megan se mordilla la lèvre. Papy s'efforçait toujours d'être positif, de ne prêter le flanc ni au chagrin ni au souci.

– Tu vas retrouver tes amis, et l'équipe de football.

Bien sûr ! Tout comme c'était avant. Ça va être formidable, hein ?

La gorge de Megan se serra. Papy faisait toujours comme si rien ne pouvait l'abattre, pas longtemps en tout cas, et il attendait la même chose des autres. Mais comment pouvait-il comprendre ce qu'elle éprouvait ? Impossible. Jamais il ne saurait. Il avait beau arriver à ses quatre-vingt-seize ans, il ne saurait jamais.

Quatre-vingt-seize ans. Comment pouvait-on vivre aussi longtemps ?

– Tu es toujours là, ma biquette ?

– Oui, Papy. Toujours là.

Il lui était difficile de trouver des mots. Elle n'avait aucune envie de parler à une personne aussi âgée, pas maintenant. Elle n'avait pas envie de se réjouir qu'un individu pût atteindre presque cent ans et paraître considérer que ça pouvait continuer indéfiniment.

Lorsque Gemma téléphona de nouveau le lendemain, elle était manifestement troublée.

– Je croyais que tu t'en allais. Mais ma mère me dit qu'elle t'a vue entrer à la supérette ce matin. Ça va ?

Jamais elle n'en avait autant dit d'une seule traite. Cela ne pouvait signifier qu'une seule chose.

Megan prit le temps de réfléchir. Il fallait encore mentir.

– Je me suis dit que j'allais attendre le retour de mon père. Pour partir avec lui.

La pendule se mit à carillonner.

– Il ne devrait pas tarder. On part demain.

– Oh. Tu ne m'avais pas précisé. Quand je t'ai appelée, tu aurais pu.

– Je ne me suis décidée qu'hier.

– Alors, tu aurais pu venir au concert avec nous. Tu aurais pu rester dormir à la maison. Ma mère aurait été d'accord. Elle adorerait te voir. Tu veux passer, là ?

Pour faire quoi, exactement ? Les mêmes trucs que d'habitude ? Comme si rien ne s'était passé ? Comme si la vie poursuivait son cours ordinaire ? S'échanger des fringues ? S'inventer des coiffures ? Essayer des maquillages ? Lire le courrier du cœur ? Parler des garçons ? Plus rien ne serait pareil, jamais.

– Peux pas. Mon père ne va pas tarder.

– Tu veux que je vienne chez toi, alors ? Jusqu'à son arrivée ?

Voilà le résultat. Gemma était vexée. Oh, elle ne trépignait pas et ne se mettait pas à pleurnicher comme l'auraient fait les Jumelles. Elle encaissait le coup en silence, fidèle à son personnage : elle n'accusait pas, elle ne jugeait pas, elle tenait à être juste et, souvent, résolvait les problèmes des gens car elle savait écouter. Mais son dépit se lisait sur son visage. Dans ses yeux, dans le pli de sa bouche. Et, pensa Megan à cet instant, dans le son de sa voix au téléphone, et dans sa loquacité inaccoutumée.

– Il va arriver. Faut que je me presse maintenant.

Gemma ne comptait pas en rester là.

– Nous ne sommes plus amies ? demanda-t-elle.

On y était. À peine un léger tremblement de voix, imperceptible si on ne la connaissait pas. Elles étaient amies depuis l'école primaire. Depuis leurs huit ans, quand Gemma était nouvelle et ne connaissait personne.

– Bien sûr que si, soupira Megan.

Allez, raccroche. Laisse-moi tranquille. Mon père va bientôt débarquer, il ne va pas être très content de moi, et je ne peux m'occuper que d'un problème à la fois.

– Eh bien, on ne dirait pas. On a l'impression que tu ne veux plus rien avoir à faire avec moi ou avec les Jumelles.

Il y eut un silence, à l'issue duquel Gemma poursuivit :

– Je sais que tu as été malade, que ça a été horrible. Et je ne sais pas comment c'était. Mais tu m'as manqué. Et tu ne me téléphones jamais. Tu n'envoies pas de textos. C'est toujours moi. Je regrette de ne pas être venue te voir mais...

– Tu étais occupée... Ce n'est pas grave. De toute façon, l'hôpital est trop loin. Je sais.

– Oui, c'est vrai. L'école et tout. Mais ce n'était pas seulement... En fait, j'avais la trouille.

Gemma pleurait à présent.

– Et je ne savais pas quoi dire. Quoi faire. Quoi demander. J'ai pris un bouquin sur la question, je ne suis même pas arrivée à le lire. Je suis aussi allée voir sur Internet, et il y avait tous ces trucs et des photos de gosses en train de mourir, tout ça...

Il existait un livre qui t'expliquait le cancer de ta meilleure copine ? s'interrogea Megan. Elle devrait le lire, peut-être y apprendrait-elle comment ça devait se dérouler.

– Je suis toujours là, dit-elle.

Elle eut néanmoins le sentiment de proférer son plus gros mensonge. Elle était là et pas là.

Une voiture ralentit dans la rue. Peut-être un taxi. Puis il y eut des voix. Ça pouvait être n'importe qui.

– Il n'y a pas de problème, Gemma. Sincèrement. Faut que je raccroche. Mon père est là.

Peut-être était-ce un mensonge. Peut-être pas.

17

Son père était installé comme un gros chat dans son fauteuil, bâillant, s'étirant, plutôt avachi. Sitôt arrivé, il avait pris une douche et s'était rasé, ce qui faisait ressortir son teint bronzé et satiné, aussi sombre que du bois. Malgré son envie de dormir, il n'était pas autorisé à monter avant dix heures du soir, afin de rattraper le décalage horaire. Ordre de son épouse.

– Ce que tu peux être dure ! fit-il en bâillant de nouveau. Ta mère aussi. Au fait, il ne faut pas oublier d'emporter le courrier chez Papy. Même si on est de retour d'ici une semaine. Histoire de ne pas laisser trop de factures en attente. Tu sais à quel point elle est obsédée par les factures.

Megan s'assit au sol avec quelques plis ramassés dans la boîte aux lettres, comprenant le courrier arrivé la veille.

– J'ai tout là. Il y en avait un paquet ce matin.

Elle entreprit de passer les enveloppes en revue. Son père savait-il déjà qu'elle ne voulait pas partir avec lui ?

Une pile de journaux avait également attendu son retour. Il aimait les feuilleter à chacun de ses congés, se rebrancher sur les nouvelles du monde depuis son foyer et dans son propre fauteuil. Or ce soir il ne lisait rien. Il se contentait de rester assis et, au bout d'un moment, Megan constata qu'il la regardait. À coup sûr, le moment était venu. Il allait entreprendre de la convaincre que ça lui ferait le plus grand bien de venir chez Papy, elle allait entreprendre de le convaincre du contraire.

– C'est mes cheveux? s'enquit-elle pour gagner du temps.

– Non, ce n'est pas ça.

Son père joignit les mains. Il allait mettre le sujet sur le tapis. Conversation sérieuse. Brusquement, il parut encore plus fatigué. Peut-être ferait-il mieux d'aller au lit tout de suite et de dormir jusqu'au matin.

– J'ai appris qu'il y a eu une lettre, dit-il.

Megan se raidit. Son cœur se mit à cogner à coups rapides et affolés.

Dis-moi qu'il faut que j'aille chez Papy.

Oblige-moi. Ne parle pas de la lettre.

Et j'ai raconté tellement de mensonges, tu veux savoir?

Et Gemma me déteste. Parlons de Gemma.

– Ta mère me l'a dit. Elle avait de la peine, elle était inquiète, tu comprends. Pour toi.

Le trou noir recommença à grandir en elle. Ainsi qu'il le faisait au moindre souvenir, chaque fois qu'elle se rappelait l'hôpital. Et pas moyen de le faire disparaître.

Il ne s'en allait jamais. Quelle que soit l'énergie avec laquelle elle tentait de s'en débarrasser. Mais son père continuait de la regarder, manifestement déterminé à obtenir une réponse, à croire qu'il tenait à ce qu'elle se remémore même ce qui faisait mal.

– Oui, il y a eu une lettre.

– J'ai été désolé d'apprendre la nouvelle, reprit-il. Très triste. J'ai voulu t'appeler, mais je ne savais pas quoi dire. Je préférais t'avoir en face. Pourtant, tu vois, maintenant non plus je ne sais pas quoi dire.

– C'est bon. Je vais bien.

Elle promena les yeux sur le courrier posé au sol. Principalement des enveloppes blanches, quelques-unes marron clair, avec des fenêtres qui laissaient apparaître, en caractères d'imprimerie noirs, le même nom et la même adresse que ceux qu'elle avait lus un matin sur l'autre lettre.

La missive était adressée à sa mère, le cachet de l'hôpital lui donnait un air péniblement officiel. Megan pensa immédiatement qu'il y avait eu une erreur, qu'on ne l'avait finalement pas débarrassée de sa tumeur.

Elle revoyait sa mère s'asseoir et décacheter l'enveloppe, qui en contenait une autre.

– C'est l'infirmière chef, Mme Brewster, qui l'envoie, annonça-t-elle avec perplexité en ouvrant le deuxième pli.

Aussitôt, une lueur d'espoir s'éveilla en Megan, pareille à la flamme mourante d'une bougie qu'un souffle d'air vient raviver. Bien sûr ! Pourquoi n'avait-elle pas pensé à demander à Mme Brewster d'envoyer une lettre ? Ç'aurait été tellement simple.

– C'est de Jackson, c'est ça ?

– Ce n'est pas de Jackson.

Sa mère hésita, lut, tendit la lettre à Megan.

– C'est de l'une de ses sœurs. Oh, mon Dieu. Je suis tellement désolée, ma chérie.

Alors Megan sut.

Elle sut ce qu'allait lui apprendre la lettre avant même d'y jeter un œil ; elle savait depuis que Mme Brewster lui avait dit que Jackson ne reviendrait jamais dans le service.

Comment aurait-elle pu l'ignorer ?

Après les premières lignes, elle rendit la lettre.

– Pourquoi est-ce qu'ils ne le disent pas franchement ?

Sa mère plia et replia la feuille de papier jusqu'à la réduire à un petit carré.

– Dire quoi ?

– Qu'il est mort. Pourquoi ils ne le disent pas carrément ? Il n'avait même pas seize ans.

Les mots de Megan avaient claqué sèchement. Sa mère ne bougea pas.

– Il est en paix maintenant, ma chérie. Il est mieux là où il est.

– Comment peux-tu dire ça ? hurla Megan. C'est *ici* qu'il devrait être. C'est *ici* qu'il serait le mieux.

– Mais ils ne pouvaient plus rien pour lui. C'est écrit dans la lettre, si tu la lis. À la fin, c'est ce qu'il souhaitait.

Megan avait abattu violemment la main sur la table, faisant tinter les tasses. Qu'est-ce que sa mère savait de Jackson ? Rien. Absolument rien.

– Ce n'est *pas* ce qu'il souhaitait. Pas du tout !

Elle criait de plus en plus fort, elle avait mal à la tête, sa main la brûlait.

– Il voulait être *musicien*, il voulait *vivre*. Voilà la vérité !

Sa mère tenta de la prendre dans ses bras, elle la repoussa.

– Ce n'est pas juste ! Comment aurait-il pu vouloir mourir ?

Elle sortit en trombe de la cuisine, tellement en colère contre Jackson qu'elle refusait de pleurer, si furieuse contre lui, contre sa mère, contre le monde entier qu'elle balaya et jeta à terre jusqu'au dernier livre qui se trouvait sur ses étagères. Bang, bang, bang, ils tombaient les uns sur les autres. La poussière s'élevait. Sa mère courut la rejoindre à l'étage.

– N'entre pas ! brailla Megan, embrasée par un feu terrible. Je ne veux pas de toi ici. Fous le camp !

Elle claqua la porte de sa chambre, se jeta contre le battant. Les pas hésitèrent sur le palier puis redescendirent l'escalier ; sa mère battait en retraite. Elle ferma les yeux, occultant la lumière ensoleillée qui baignait sa chambre ; elle haletait, comme après une course de vitesse. Dans sa tête, ce n'était qu'un hurlement, si assourdissant qu'elle ne pouvait même plus penser.

– Mais tu vois, dit son père, la ramenant au présent, je ne crois pas que tu ailles bien. Au contraire. Et ta mère se fait du souci pour toi. Ce n'est pas facile pour elle d'essayer de te venir en aide... quand tu n'en parles pas... personne ne le peut.

Megan ne supportait pas de le regarder parce qu'il la contraignait à se souvenir, or se souvenir ravivait le brasier qui la consumait à l'intérieur. Il espérait l'aider, là? Pourquoi faisait-il ça? Le mieux était de ne plus y penser *du tout*. Il ne pouvait pas comprendre ça? Sa mère non plus?

– Je n'ai rencontré Jackson qu'une seule fois...

Cherchait-il à la torturer en prononçant le nom de Jackson de cette façon, comme s'il était encore en vie, qu'il respirait, qu'il riait, qu'il lui tenait la main?

– ... Mais j'étais content de voir le garçon dont tu parlais tellement.

Le regard toujours rivé à la pile de courrier, Megan sursauta en comprenant subitement ce que venait de dire son père.

– Tu l'as rencontré...? Jackson?

Il examina ses mains, un peu hésitant ou surpris.

– Bien sûr. Il a déboulé après ton opération. Il exigeait de te voir parce qu'il allait rentrer chez lui. Quand je dis qu'il a déboulé, corrigea-t-il en voyant Megan se figer, ce n'était pas exactement ça.

– Il est venu? Me voir?

– Oui, assura-t-il d'un ton d'évidence. Siobhan le

poussait. Il était en chaise roulante, mais ça n'empêchait pas sa détermination.

Son père commença alors à trahir un certain malaise, comme s'il lui venait une pensée épouvantable.

– Il a dit qu'il avait une histoire à terminer. Je n'ai pas vraiment saisi. Tu étais très malade. Je n'ai pas vraiment fait attention.

Jackson était venu la voir ?

Ce n'était pas possible.

Mille pensées tournoyaient dans la tête de Megan. S'il était venu, *pourquoi* personne ne lui en avait-il parlé ?

– Peut-être que Jackson savait qu'il risquait de ne pas te revoir…, reprit son père. C'est pour cette raison qu'il est venu. Pour te dire au revoir, ajouta-t-il après un silence.

Megan regarda ses chaussures. Elles étaient floues, sa vision était trouble. Sa gorge se serra.

– Je ne savais pas, fit-elle d'une voix presque étranglée. Personne ne me l'a dit. Pourquoi, toi, tu ne me l'as pas dit ?

Quelque chose d'énorme commençait à l'étouffer.

– Oh, mon Dieu, souffla son père.

Il ferma les yeux, porta les mains à son visage et, durant quelques secondes, il sembla qu'il n'allait plus prononcer un mot. Quand il se ressaisit, son visage resta décomposé.

– Tu étais si mal en point. On… on a cru qu'on allait te perdre…, dit-il sourdement. Oh, mon Dieu, excuse-moi. Je croyais que maman te l'avait dit.

– Et moi je croyais qu'il était parti comme ça... sans rien dire... Tout ce temps, j'ai pensé...

Elle était sur le point d'exploser. Son père quitta son fauteuil pour s'asseoir par terre à côté d'elle. Megan était incapable de le regarder.

– Je ne sais que te dire, ma chérie. Je ne sais vraiment pas. Et je comprends que ce soit un choc, mais maintenant que tu sais, peut-être peux-tu...

– Ne me dis pas de tourner la page. Ne me dis pas de célébrer la vie, articula-t-elle d'une voix forte et froide. Surtout ne le dis pas. C'est ce qu'ils disent tous.

Acquiesçant lentement, son père posa un bras léger autour de ses épaules. Megan put sentir sa force, sa chaleur.

– Je ne dirai rien de tel.

– Il est mort, répéta Megan, les mots tels des pierres dans son cœur. Il n'y a rien à célébrer.

– Si, il y a quelque chose.

Il se pencha. Elle secoua la tête, elle était au comble du chagrin.

– Le fait que Jackson ait pu te faire éprouver ça, reprit-il, me prouve que c'était un jeune homme formidable.

Megan fixait les chaussures de son père, le motif tracé par les trous minuscules dans le cuir satiné, le double nœud des lacets.

– Il t'a rendue heureuse, je m'en rends compte. Il t'a aidée à t'en sortir. D'ailleurs, Papy pensait le plus grand bien de lui pour cette raison.

Mais Jackson était parti, c'était tout ce que savait Megan.

– Et il a été assez fort pour se battre tout du long, continua son père. C'est ce qui est remarquable chez lui. Voilà ce que tu pourrais célébrer.

– J'peux pas.

La gorge gonflée, les yeux pleins de larmes, elle se sentait au bord de l'explosion. Son père l'attira vers lui.

– Il ne s'agit pas de courir partout avec des ballons, de brailler, de danser. On n'est pas à la fête de Papy.

Megan était tout juste capable de respirer, pourtant pleurer lui sembla soudain facile, possible, c'était en fait la seule chose en son pouvoir, verser d'un coup des semaines de larmes.

– Je parle de te souvenir des bons moments que tu as passés avec lui.

– Je sais pas faire, gémit Megan. J'y arrive pas.

– Ça viendra, affirma son père, la voix ferme. Tu as connu des moments heureux avec lui, n'est-ce pas ?

Megan opina contre son épaule.

– Te les rappeler et sourire à ce souvenir. Voilà ce que j'entends par célébrer, une sorte de célébration intime.

Refermant tendrement les mains sur les épaules de Megan, il l'écarta de lui et plongea le regard dans le sien.

– Oh, ma chérie, un jour tu y arriveras, je te le promets.

Puis, la ramenant contre lui, il la serra comme s'il ne devait jamais lâcher.

18

– Tiens, salut, belle inconnue !

Dressée de toute sa silhouette imposante, les mains sur les hanches, l'infirmière chef examinait Megan de la tête aux pieds. Son évidente surprise fut brève et céda bientôt la place à la mine habituelle de cette bonne vieille Booster.

– Tu as manqué l'inauguration de la nouvelle unité !

Megan ignora le reproche et lui tendit le cadeau qu'elle avait apporté. Elle ne savait trop pourquoi elle avait finalement décidé de venir ; encore à présent son estomac se soulevait, ses mains tremblaient. Mais elle ne resterait qu'une minute.

– C'est pour vous, dit-elle.

– Mmm, c'est très gentil à toi, mais tu nous en as déjà offert beaucoup quand tu es rentrée chez toi.

– Il n'en reste plus et les infirmières adorent le chocolat. D'ailleurs, ceux-là sont de la part de ma mère.

Un mensonge de plus, tant pis.

– Ça, c'est de moi, poursuivit-elle en tendant un

sachet en plastique. Pour le nouveau service. Si vous êtes d'accord, si c'est autorisé. Ce ne sont pas des nouveautés ni rien.

Il s'agissait d'une demi-douzaine de CD et de DVD qu'elle avait choisis parmi les siens.

– C'est vraiment gentil, Megan, dit Mme Brewster. Une excellente idée et un beau geste, merci.

Elle prit les disques, jeta un coup d'œil rapide aux titres puis les mit de côté.

– Mais nous aurions souhaité ta présence à l'inauguration. Tu étais notre invitée d'honneur, en quelque sorte. Pourquoi n'es-tu pas venue?

Megan avala sa salive. Vous *savez* pourquoi, brûlait-elle de répondre. Mais les mots ne vinrent pas.

L'infirmière la considéra de ses gros yeux qui semblaient presque la piéger, insinuer qu'il y avait beaucoup plus à dire, beaucoup plus à entendre. Mais ses tâches l'appelaient sûrement ailleurs. Un bébé geignait, un petit s'époumonait. Peut-être allait-elle partir.

– Aimerais-tu visiter la nouvelle unité, maintenant que tu es là?

Dans son regard, cette fois, Megan déchiffra une chaleur et une bonté qui lui étaient spécialement destinées.

– Je ne peux pas rester longtemps, dit-elle en s'efforçant de sourire. Mon père est à la maison. Nous... On doit aller chez mon grand-père aujourd'hui. Il ne sait pas que je suis venue. Je veux dire, il était sonné par le décalage horaire et je l'ai laissé dormir. Je ne voulais pas le déranger.

– Alors, c'est un oui ou un non?

– Vous avez le temps?

– Bien sûr. Attends juste une seconde.

Elle s'éloigna, laissant Megan près du poste de soins. Celle-ci sentit qu'on lui tapotait sur l'épaule.

– Dis donc! Mais qui je vois là?

– Siobhan!

Une grosse embrassade plus tard, la jeune infirmière l'examina en souriant.

– Tu as l'air en pleine forme. Je te l'avais dit, hein? s'exclama-t-elle, ravie. Comment ça va pour le reste?

Une question si anodine, quelques mots seulement, pourtant la réponse n'était pas facile à formuler.

– Papy va avoir quatre-vingt-seize ans dimanche. Il organise une fête.

– Quatre-vingt-seize! C'est fantastique!

– Oui, approuva Megan, presque troublée de se sentir subitement fière d'avoir un grand-père d'âge aussi vénérable.

– Et toi tu vas reprendre l'école, reprit Siobhan en lui pressant le bras. Ça va être super, non?

Megan acquiesça car c'était visiblement ce que souhaitait Siobhan. Mme Brewster réapparut, prit un trousseau de clés au bureau et échangea quelques mots avec un membre du personnel.

– Vous allez à la nouvelle unité, c'est ça? fit Siobhan. Ça va te plaire! Je dois filer. On se revoit bientôt!

Mme Brewster entraîna sa visiteuse hors du service, déverrouillant les portes. Au rez-de-chaussée, elles parcoururent rapidement un tronçon du couloir principal, tournèrent à droite, empruntèrent un autre couloir. Les chaussures noires de l'infirmière couinaient à chaque pas.

– Il faut avoir au moins treize ans pour être admis ici, figure-toi. Pas de hurlements de bébés ni de gamins exaspérants, ni éléphants, ni pieuvres, ni personnages de Disney. *Surtout pas* de personnages de Disney !

Megan eut un sourire gêné. Le nombre de fois où elle s'en était plainte...

– Il y a un billard, une table de ping-pong, un salon, une salle de musique, une salle de repos, tout ce que tu veux. Et les avis de ceux qui séjournent ici sont les bienvenus. On a mis une boîte pour les suggestions et commentaires, ajouta-t-elle avec une grimace amusée.

Elles étaient arrivées devant une double porte. Elle pressa un bouton dans le mur et les portes s'ouvrirent.

– Nous y voilà.

Incroyable. Ce n'était pas un service de soins, c'était... stupéfiant ! Ça ressemblait à un décor de film, c'était presque de la SF. Il régnait une odeur de neuf, comme quelque chose qu'on déballe pour la première fois.

Mme Brewster ouvrit la porte d'une chambre et fit signe à Megan d'entrer.

– Écran plat pour chacun, donc pas de bagarres à propos des programmes, commenta-t-elle en refermant. Il y a l'accès à Internet, des ordinateurs portables, on a même des instruments de musique, des PlayStation...

Regardant par une fenêtre, Megan surprit une silhouette en mouvement sur un toit voisin.

– Il y a un chat !

Mme Brewster jeta un coup d'œil rapide dehors.

– Oh, ce pauvre vieux. Il a toujours été là. On l'appelle Mister Henry.

– Ah oui ?

Megan sourit, incapable de détacher les yeux du matou. Elle pensait à Sardine et à Jackson, son cœur se gonfla.

– Nous avons plusieurs minous vagabonds dans le coin. Ils s'appellent tous Mister Henry. C'est plus facile. Maintenant, viens voir par là...

Une nouvelle porte ouverte révéla une cuisine équipée.

– Pour ces hamburgers et ces pizzas que vous avez l'air de préférer. Et par là..., continua la guide en repassant devant sa visiteuse, le mur à graffitis. Nous ferons venir un artiste une fois que nous aurons ouvert, pour travailler un peu avec les patients.

– Waouh !

Tout était rutilant, flambant neuf. Dans un coin trônait un énorme pouf Sacco violet. Megan s'en approcha, enfonça le doigt. Les billes crissèrent moelleusement dans leur enveloppe synthétique. Elle s'affala dedans, le siège se moula à ses formes, elle poussa une exclamation de plaisir.

– C'est... fabuleux. On se croirait dans un hôtel de luxe !

– N'est-ce pas ? abonda Mme Brewster avec un sourire. Nous sommes tous très satisfaits. Nul doute que nous connaîtrons de petites difficultés au démarrage, mais je suis certaine que nous saurons les aplanir.

Megan s'extirpa du pouf et lui redonna sa forme initiale, effaçant l'empreinte de son corps. Il y avait à côté un divan d'angle et des fauteuils rembourrés, une table basse et...

– C'est un juke-box ?

– Exactement. Un peu kitsch, non ? Il joue des tas de musiques, même certaines que je reconnais. Je suppose que nous pourrons y mettre tes CD. Moi, je ne sais pas comment ça fonctionne. Mais quelqu'un saura.

Mme Brewster posa la pile de CD et de DVD de Megan sur une étagère à proximité du juke-box.

– C'est chouette. Merci encore. Un bon début pour notre collection. Et ici...

Il y avait encore une autre pièce pourvue de fauteuils, d'un tapis et de rayonnages prêts à être occupés.

– Un genre de salle d'étude, ou un espace silencieux pour celui ou celle qui veut s'isoler un moment.

L'infirmière chef joignit les mains et regarda Megan, le visage presque grave.

– Eh bien, ça te plaît ? Penses-tu que les gens de ton âge apprécieront ?

Megan acquiesça, encore stupéfaite, encore émerveillée.

– C'est carrément super, dit-elle.

– Nous espérons que les jeunes cancéreux seront bien

dans cet environnement. Ils vivront mieux le fait d'être à l'hôpital. Tu le crois aussi?

Il était difficile de se projeter, difficile de répondre.

– Mais... pour le traitement et tout? Ils devront aller ailleurs pour...

– Tout se fera ici, l'interrompit Mme Brewster.

Cela semblait tellement simple, tellement parfait.

Megan s'attardait à admirer la nouvelle unité quand une idée la frappa :

– Comment est-ce que cela a pu se faire si vite?

– En bâti neuf, une unité comme celle-ci coûte plus d'un million de livres, mais l'hôpital a entièrement vidé, réhabilité et reconverti l'ancien service des consultations externes. Les maçons ont travaillé ici pendant des lustres. Je m'étonne que tu ne l'aies pas remarqué... au cours de tes pérégrinations.

Megan sourit. Comment avait-elle manqué ça?

– Puis nous avons reçu un financement supplémentaire..., continua Mme Brewster en ouvrant les bras dans un geste qui semblait englober tout l'espace. Tu verras grâce à qui quand nous sortirons. Enfin, quoi qu'il en soit, le résultat est là. Nous accueillerons nos premiers patients le mois prochain. Ils viendront de partout. J'imagine que cet endroit ne sera plus jamais aussi tranquille!

Elles avaient parcouru toute l'unité.

– Vous allez travailler ici? s'enquit Megan.

– À vrai dire, oui, répondit Mme Brewster avec un sourire amusé. Je me demande bien pourquoi. Une fois, j'ai dû m'occuper de deux adolescents, je m'en souviens. Que des problèmes !

Megan se sentit rougir.

– Mais c'étaient les deux personnes les plus sympathiques que j'aie rencontrées. L'un d'eux, en particulier, a laissé tant de souvenirs qu'on parle encore de lui parmi les agents de service, les médecins... jusqu'au préposé de la morgue...

Ainsi, ce n'étaient pas des histoires ! Cher vieux Jackson !

Elles se dirigeaient vers la sortie, vers le monde réel de l'hôpital, quittant ce lieu magique qu'était la nouvelle unité pour adolescents. L'infirmière pressa de nouveau un bouton et elles franchirent une autre porte à double battant. Mme Brewster s'arrêta près de la plaque de bois vernis fixée au mur. Les mots étaient gravés et peints en doré. Megan lut l'inscription, sentit les larmes lui monter aux yeux, sentit son corps entier sur le point de s'effondrer.

– Qu'en penses-tu ?

Megan fut incapable d'articuler un son tant elle était pleine de fierté, d'amour, de chagrin et d'espoir mêlés.

Mme Brewster lui enlaça les épaules.

– Je sais, dit-elle. C'est ce que je pense aussi.

19

Megan poussa le portillon du jardin. Son père devait encore être au lit. Ou dans la baignoire. Il aimait faire longuement trempette, comme sa mère, avec des tonnes de mousse. Il disait que ce n'était jamais pareil quand il était loin. Les bains n'étaient jamais aussi agréables que chez soi.

Elle n'entra pas dans la maison mais s'assit sur le banc que son père avait fabriqué sous le grand arbre. Ses pensées avaient peine à s'ordonner. Peut-être à cause de sa visite à l'hôpital. Peut-être du fait d'avoir vu la nouvelle unité, revu le personnel. Toujours est-il qu'elle avait la tête bourrée d'images, de sons, de souvenirs, de questions, qui tourbillonnaient telles des pièces de puzzle sans qu'elle parvînt à les assembler.

Les yeux fermés sous les rayons du soleil, elle demeura au cœur de ce fouillis, s'efforçant d'y apporter un semblant d'ordre. Un crissement de caoutchouc sur le sol. Elle connaissait ce son. Un fauteuil roulant. Oui. Elle était couchée dans un lit, cernée par toutes sortes de machines qui bipaient, sifflaient, soufflaient. La pièce semblait pleine de monde, leurs paroles s'embrouillaient. Cependant, quelqu'un parlait en sourdine, d'une voix basse et mystérieuse.

La famine sévissait sur cette terre, et des mois durant pas une goutte de pluie. Jour après jour, le soleil irradie dans les cieux limpides. L'herbe brûle, pareille au fruit du caféier. Et les arbres brûlent eux aussi, brunis, roussis. Les feuilles et les fruits dépérissent de même...

Il y avait des murmures, des mouvements discrets. Silence feutré et chuchotements. Bruits de pas. Mme Brewster peut-être, ou Siobhan. Ou une autre personne, inconnue? Où se trouvait-on, exactement? Elle reconnut les chaussures de sa mère avec les talons plats qui produisaient un petit bruit de succion, et les chaussures à lacets de son père, craquant à chacun de ses pas. Une toux. Un reniflement. Les voix parvenaient fragmentées. Certaines détectables, d'autres perdues dans une dérive brumeuse.

... Mister Anansi l'araignée se lève un matin. Drapé dans un long manteau, coiffé d'un haut chapeau, équipé d'une sacoche noire, il se met en route pour le Pays des Poissons. Rendu sur place, il s'octroie un bureau, accroche une pancarte : Docteur Anansi, chirurgien[1]...

Megan essayait de trouver Jackson. C'était sa voix,

1. L'araignée Anansi est un personnage récurrent des contes de la Jamaïque, plus largement des Caraïbes, venu du folklore d'Afrique de l'Ouest (NdT).

mais il n'y avait qu'obscurité. Pourtant il était là, il emplissait l'espace avec sa palabre de vieil homme venu d'une terre lointaine.

... Son premier patient est un très gros poisson... Anansi examine son œil sous tous les angles, il s'attarde longtemps, longtemps... soudainement il se redresse et dit : « Tu as l'œil affaibli mais je pense pouvoir te venir en aide... »

À mesure que les mots pleuvaient autour d'elle, Megan saisissait l'histoire par bribes décousues. L'araignée Anansi jouait un tour à un gogo, il était question d'argent versé et, oh, elle voulait se cramponner à tous ces mots, parce que c'était Jackson qui parlait, là, dans la pièce, tout près, assez près pour se toucher.

... Et l'imbécile, l'imbécile de poisson le paie en bel argent sonnant puis entreprend le voyage de retour à son logis... Anansi s'empresse de traverser la rivière...

Davantage de mouvements. L'air bruissait de chuchotements. La voix de Jackson commençait de s'estomper à mesure que l'histoire parvenait à son terme. Il y eut de nouveau ce crissement de caoutchouc, les roues du fauteuil roulant, et le son qui s'éloignait, s'éloignait.

Une autre porte. La porte de derrière, à la maison. Son père venait dans sa direction, les yeux protégés par des lunettes de soleil, les manches de sa chemise roulées sur ses bras bronzés. Il avait l'air grand et fort.

– Bonjour. Tu es perdue dans tes pensées.

Il s'assit à côté d'elle sur le banc.

– Qu'est-ce qui ne va pas, chaton ? Si c'est en rapport avec Papy, ne te fais pas de souci. On peut trouver une solution.

Megan s'essuya les yeux.

– C'est pas ça. C'est juste... Je me suis rappelé l'histoire que Jackson m'a racontée. Des bouts, en tout cas.

Elle glissa le bras sous celui de son père. Il le serra.

– Ça parlait d'un poisson, continua-t-elle. L'araignée Anansi l'escroque pour lui prendre son argent. Anansi se fait passer pour un docteur. C'était ça ? Quelque chose comme ça ?

Son père prit le temps de réfléchir.

– Je crois bien que oui. Je dis « je crois » parce qu'il parlait avec ce drôle d'accent qui rendait l'histoire difficile à comprendre, mais c'était l'idée, en effet.

– Je le savais, murmura Megan avec un sourire.

– Dis donc, je n'aurais pas imaginé que tu t'en souviendrais.

– J'étais où ? Pas dans ma chambre. C'était un autre endroit.

Son père ne répondit pas immédiatement. Mal à l'aise, il regardait au loin.

– Ça s'appelle les soins intensifs...

Les traits tirés, douloureux, il reporta sur Megan des yeux brillants.

– Oh, tu étais dans un état si grave, ma chérie.

Megan se serra contre lui, posa la tête sur son épaule.

– Mais je vais mieux maintenant, papa. Tu le sais.

Elle avait remporté son combat, pourtant cela lui

semblait une pauvre victoire puisque Jackson n'avait pas vaincu, puisque Sardine n'avait pas vaincu.

Son père cligna des yeux, feignant d'être aveuglé par le soleil.

– Oui, tu t'en es sortie. Dieu merci.

Ils restèrent un moment silencieux.

– Alors, où es-tu allée si tôt ce matin? Je me suis réveillé pour m'apercevoir que tu étais partie. Je ne voudrais pas être indiscret vu que tu étais toute chamboulée hier soir, mais maintenant que tu dis que tu vas mieux, je me permets de poser la question.

Il haussa les sourcils et la scruta par-dessus ses verres de lunettes noires.

– Je suis allée à l'hôpital. À la nouvelle unité.

– Vraiment? dit son père, visiblement surpris. Je croyais que tu ne voulais pas.

– C'est vrai. Mais il y a un bus direct maintenant, je l'ai pris.

Son équipée matinale lui paraissait incroyable à présent, alors qu'elle s'était trouvée là-bas à peine plus d'une heure auparavant.

– J'ai simplement décidé d'y aller.

– Tu as été très courageuse de t'y rendre seule.

Il y eut un nouveau silence quoique le jardin autour d'eux vibrât du chant des oiseaux. Son père finit par consulter sa montre.

– L'un de nous doit activer le mouvement. Nous avons une fête. Tu sais, poursuivit-il en se tournant vers Megan, quand tout ça sera terminé, que tu retourneras en classe, les journées seront programmées, avec l'heure de se lever, l'heure de se coucher. Tu reviendras à une espèce de normalité. Tu recommenceras à vivre ta vie. Et je sais que tout le monde le dit, mais je pense que tu peux y arriver. Je sais que tu le peux.

Il avait parlé avec un espoir sincère. Megan, pour sa part, doutait de ce retour à la normalité.

– À la nouvelle unité, ils ont mis une plaque gravée en lettres dorées. Mme Brewster me l'a montrée. C'est le nom de Jackson qui est inscrit. Ils l'ont baptisée « unité Jackson-Dawes ». Ils ont reçu de l'argent de la famille de Jackson. C'était son argent à lui. Enfin, ç'aurait été son argent quand il aurait eu vingt et un ans.

Le père de Megan plongea le regard dans celui de sa fille.

– À ton avis, ça lui aurait plu ? Il aurait été d'accord ?

– Oui, fit Megan, il aurait été content, mais je me demande...

– Quoi, petitoune ?

Quels mots employer ? Souhaiter l'impossible représentait une telle perte de temps, et néanmoins...

– J'espère que Jackson est mort heureux, reprit-elle d'un ton rapide. Il voulait faire tant de choses, il voulait vivre, je ne vois pas comment il aurait pu mourir heureux, mais j'espère que ça lui convenait, finalement. Je l'espère très fort.

Voilà. La chose qu'elle ignorait et ne pouvait résoudre. Pareille à un puzzle, avec une pièce manquante. C'était resté là, à la grignoter de l'intérieur, depuis elle ne savait quand, et maintenant seulement elle était capable de l'appréhender, de l'attraper.

Si seulement elle pouvait savoir qu'il avait été d'accord.

Après, survivre ne paraîtrait plus si pénible.

Que Papy ait quatre-vingt-seize ans dimanche, que les pauvres vieilles âmes aillent à sa fête pour danser, chanter, se gaver de friands, que les gens le trouvent stupéfiant d'avoir atteint un âge pareil ne semblerait plus aussi dérisoire.

Car n'étaient-ce pas Jackson et Sardine qui étaient stupéfiants? Et tous les autres qui *n'avaient pas* survécu?

Son père enfouit les mains dans ses poches.

– Megan, as-tu lu la lettre de la sœur de Jackson?

Elle acquiesça vaguement, se sentant plus morne et glacée que l'hiver.

– Je ne parle pas du passage où elle annonce sa mort. L'as-tu lue entièrement? Jusqu'au bout?

– Non, répondit Megan, raide et figée. Je n'en ai pas envie... Je n'en ai pas besoin.

À quoi bon?

Rien n'allait changer.

La lettre avait été sa compagne continuelle depuis qu'elle était arrivée, or elle aurait dû balancer cette horreur.

– Où est-elle? s'entêta tranquillement son père.

Telle une enfant obstinée, Megan refusa de répondre.

– Elle est dans ta chambre? Tu l'as jetée?

Il attendait, indifférent au train qu'il devait prendre,

à la fête de Papy, il attendait comme s'il disposait de tout son temps.

Pour finir, Megan extirpa de sa poche le petit carré de papier plié et le lui tendit avec autorité. Elle n'en voulait plus. À quoi servait de le trimballer sans cesse avec elle ? Façon nana crétine atteinte d'un béguin, façon courrier du cœur à la manque, comme si cela faisait partie d'elle.

Ça n'allait pas ramener Jackson.

– *Moi* je sais ce que dit cette lettre. Ta mère me l'a lue au téléphone. *Intégralement.*

L'air de chercher une réponse à une question impossible, son père promena les yeux dans le jardin.

– Mais *toi*, tu ne le sais pas, continua-t-il. Tu n'as jamais laissé maman t'en parler et, pour être franc, je pense que tu t'es montrée un peu sotte. *Plus* qu'un peu sotte.

La petite veine bleue à sa tempe semblait rigide, ses lèvres se serraient en une ligne fine.

Comment osait-il être en colère ? Quand c'était elle qui s'était fait charcuter le crâne, elle qui avait subi des chimios et tout le tremblement, elle qui avait perdu Jackson, et sa place dans l'équipe de foot, et ses cheveux, et la pauvre Sardine, et... oh, la liste était si longue ! Comment osait-il se fâcher contre elle ?

Elle eut l'impression que la lettre lui collait à la main, presque soudée à ses doigts.

Son père se détendit légèrement.

– Écoute, dit-il, je veux juste que tu envisages le

panorama général, rien d'autre, pas seulement les morceaux qui font mal. Tout ne fait pas mal. Tu ne peux pas laisser faire ça.

Megan ne dit mot. Si, tout faisait mal. Tout.

– Il faut que j'aille me préparer, soupira son père.

Soudain, il paraissait dépassé par la situation, ne plus vouloir s'en occuper et regretter que son épouse ne soit pas là pour prendre la relève.

– Il ne faudrait pas louper le train. J'aimerais que tu viennes chez Papy, mais...

Malgré la déception et la sévérité que trahissaient ses traits, il caressa gentiment la joue de sa fille.

– ... ce n'est pas si grave. Tu seras bien avec Gemma. Je peux parler à sa mère. L'important est que tu prennes un peu de temps, là tout de suite, pour lire cette lettre jusqu'au bout. Tu entends? Je ne veux pas que tu franchisses cette porte avant.

Il tourna le dos, s'éloigna et entra dans la maison.

Megan resta bouche bée.

Son père ne lui donnait jamais d'ordres. Dans le tandem parental, il était le tendre, le câlin, celui qui rentrait de ses longues périodes de travail au loin avec des cadeaux, et il était drôle, et on s'amusait – à sa mère incombaient les corvées : factures, ravitaillement et discipline. Jamais il n'attrapait Megan. Jamais il ne la commandait.

Pourtant il venait de le faire, lui ordonnant une chose à laquelle elle ne pouvait se résoudre.

20

Le jardin bruissait des bruits quotidiens habituels. Des enfants jouaient quelque part dans la rue, un chien batifolait en courant après une balle. Megan se sentait étrangère à cette vie ordinaire. Elle en était exclue, elle était spectatrice.

Elle déplia la lettre, lissa les plis très marqués qui avaient fini par compartimenter le papier en petits carrés qui paraissaient réunis en un assemblage précaire.

Comme moi, pensa-t-elle.

Jetant un coup d'œil vers la maison, elle vit son père dans la cuisine. Il était au téléphone. Sans doute avec sa mère. Sa voix, audible bien que ses paroles ne fussent pas compréhensibles, évoquait une conversation banale, comme si rien ne s'était passé. Ou tout.

La lettre palpita légèrement sous la brise, comme pour rappeler sa présence à Megan. Au fond, il n'y avait pas de raison de ne pas la lire. Ça ne pouvait pas lui faire plus de mal que le jour où elle était arrivée. Megan s'adossa au tronc de l'arbre dont l'abondante frondaison commençait à changer de couleur. Quelques feuilles étaient déjà tombées à terre. La vie faisait son œuvre. Elle lissa de nouveau la feuille de papier.

Chère Madame Bright,

Ma mère m'a demandé de vous écrire pour vous dire que Jackson a perdu son combat contre le cancer la semaine dernière. Elle pensait que vous aimeriez peut-être le savoir et ainsi l'annoncer à Megan.

À l'hôpital ils ont fait leur possible mais, selon ma mère, il existait un autre plan pour Jackson et nous devons l'accepter. Nous essayons de ne pas être tristes. Jackson ne le voudrait pas, mais il nous manque énormément, sa bonne humeur, son sourire. Vous l'avez rencontré, donc vous comprenez.

C'est très dur pour ma mère, bien sûr, mais elle tient à ce que vous sachiez que Jackson n'a jamais cessé de parler de Megan. Nous pensons tous qu'elle lui a rendu la maladie et la fin de vie beaucoup plus faciles. Ma mère dit que Megan était là avec lui, dans son esprit et dans son cœur, et elle remercie Dieu pour la joie que Megan lui a apportée, et pour l'avoir aidé sur sa fin. Elle était présente quand il avait besoin d'elle, cela l'a rendu heureux.

S'il vous plaît, faites savoir à Megan combien nous lui sommes reconnaissants. Nous espérons qu'elle va bien et que cela continuera.

De la part d'Elvira Dawes,

Josephine Dawes

L'écriture manuscrite était parfaite, Josephine Dawes s'était appliquée ; on imaginait la rondouillette Mme Dawes penchée sur l'épaule de sa fille, lui indiquant ce qu'il fallait mettre précisément, quels mots utiliser et comment les agencer. Ils étaient francs et directs. Ne dissimulant rien, ne cherchant pas à embellir. Écrire pareille lettre avait dû représenter une épreuve terrible pour toutes deux.

Megan s'attardait sur chaque mot à présent, elle les absorbait, les faisait siens, sentait l'effort qu'ils révélaient, le respect et l'amour. Parce que la famille de Jackson l'avait aimé. Elle avait oublié ça quelque part en route. Et ils l'avaient perdu. Pas étonnant que son père soit fâché contre elle, quand on avait pris la peine de coucher de tels mots sur le papier et qu'elle refusait d'en prendre connaissance.

Pour finir, elle replia soigneusement la missive, selon les plis antérieurs.

Ce n'était pas une lettre horrible finalement.

C'était une lettre émouvante et précieuse.

Elle ne la haïssait pas, en rien, pas même le passage qui lui annonçait la mort de Jackson.

En la remettant dans sa poche, Megan retrouva autre chose. C'était le portrait qu'elle avait terminé le soir de l'opération de Jackson. À peine plus grand qu'un croquis sur le vif. Elle l'avait découpé et conservé sur elle ou à proximité depuis l'arrivée de la lettre, un rituel commémoratif, devenu aussi automatique que de se brosser les dents ou se laver le visage. Néanmoins, elle s'était refusée à le regarder autant qu'elle avait refusé de lire la lettre.

Elle fut choquée de constater à quel point il était abîmé. Si elle continuait à le trimballer ainsi sur elle, il serait bientôt bousillé. Or c'était tout ce qui lui restait de Jackson.

C'était lui qu'elle regardait à présent, dans le soleil de l'après-midi. Elle était parvenue à capturer un peu de la vie qui luisait dans ses yeux, du bonheur qui irradiait de son visage, comme s'il devait ne jamais le quitter.

– Tu étais trop jeune, murmura Megan.

Il avait l'air de se moquer d'être jeune, ou d'être abîmé, ou d'avoir été trop longtemps enfoui dans une poche. *C'est cool*, semblait-il dire.

Ne t'inquiète pas pour moi.

Je m'en sors bien.

Là où je suis, les abeilles ne piquent pas,

le soleil ne brûle pas,

il n'y a plus de souci, plus de douleur.

Megan resta à contempler le portrait, détaillant les traits et les courbes du visage de Jackson, capturant les échos de son être, les souvenirs qu'elle avait de lui, si bien qu'il demeurerait toujours avec elle. Ses yeux et son esprit, son cœur et sa peau furent bientôt pleins de lui, il ne serait jamais gommé.

Il y eut un mouvement dans la cuisine. Megan leva les yeux pour s'apercevoir que son père l'observait depuis la fenêtre, se demandant si ça allait. Il partirait dans quelques heures, et il souhaitait qu'elle prenne le train avec lui. Il paraissait si seul planté là, si inquiet.

Si elle pouvait lui dire que ça allait, le montrer, alors il se sentirait mieux, sa mère et Papy aussi, tous les gens qui s'étaient fait du souci pour elle. Tous essayaient de repartir, d'avancer, comme s'ils avaient eu un cancer eux aussi. Mais ils n'y parvenaient pas, pas sans elle. Et ça resterait ainsi jusqu'à ce qu'elle donne le signal, prononce le mot.

La balle était dans son camp.

L'air était immobile. Pas une feuille ne bougeait. Il n'y avait pas d'oiseaux, aucun bruit. C'était comme d'être à nouveau dans une bulle, et tout autour le monde réclamait d'entrer. Elle devait laisser entrer le monde. Elle devait donner le signal, prononcer le mot, reprendre sa vie en main.

Ce ne serait pas si difficile de monter dans le train avec son père, d'aller à la fête.

Ce ne serait pas si difficile d'écrire à la famille de Jackson, de les remercier d'avoir pris la peine de lui envoyer la lettre. Peut-être leur donnerait-elle son portrait. Une copie.

Elle pouvait faire tout cela.

L'air se remit en mouvement autour d'elle, comme s'il en avait reçu la permission. Une brise légère agita les feuilles, les fit revivre.

Mais il restait une chose.

Aucun de ces projets ne pourrait aboutir tant qu'elle

n'aurait pas parlé à Gemma pour tout lui raconter. Ça devait commencer avec Gemma.

Megan sortit son portable. Ce fut le premier numéro qui apparut sur l'écran. Ça l'avait toujours été. Ça le serait toujours.

– Gemma?

Il y eut un silence, pareil à cet intervalle qui succède à l'éclair, avant que le tonnerre ne gronde, une pause qui laisse espérer que le fracas ne sera pas trop violent, trop effrayant. Megan se demanda si son amie n'allait pas tout simplement couper la communication, refuser de répondre. Elle ne lui en voudrait pas, elle ne serait pas étonnée. Que méritait-elle d'autre?

– Salut, fit Gemma d'une voix basse et atone. Tu n'es toujours pas partie?

Ça sonnait comme une accusation.

– Je prends le train de six heures.

C'était la vérité. Terminés, les mensonges.

– Faut que je prépare mes affaires et tout, mais...

À cet instant, un moteur de voiture hurla tout près et une nuée d'oiseaux s'envola de l'arbre des voisins. Megan n'en avait jamais vu autant d'un coup. Elle les regarda se fondre dans le ciel comme s'ils n'avaient jamais existé.

– Tu es toujours là? Megan?

– Ouais, excuse. J'allais te demander... si je peux passer chez toi. Rien qu'un petit moment. Quand j'aurai bouclé mon sac.

– ... d'accord...

Gemma ne paraissait pas emballée, elle était plutôt méfiante à vrai dire, l'air de redouter un sale tour de sa « meilleure amie ».

– C'est juste... J'ai besoin de te dire quelque chose.

Et puis Megan se mit à pleurer, car l'idée lui vint, aussi subite et violente que l'envol de la nuée d'oiseaux, que Gemma aurait compris si seulement elle lui en avait parlé auparavant.

Des semaines plus tôt.

Des mois plus tôt.

Gemma aurait su quoi dire.

Il ne s'agissait pas de cancer ni de tumeur ni de chimio, choses qui effrayaient ses amies. Il s'agissait simplement d'un garçon. Et elles auraient pu rire ensemble, rire de toutes les choses que faisait et disait Jackson, de son art de s'attirer les ennuis.

Ensuite, elles auraient pu pleurer ensemble.

Ç'aurait été tellement mieux.

Surtout qu'elle était bel et bien là à pleurer. Toute seule.

– Megan ? Qu'est-ce qui ne va pas ? J'arrive. Immédiatement.

Gemma. Peines et vexations oubliées. Gemma qui ne supportait pas que quelqu'un souffre, encore moins sa meilleure amie.

– Non, c'est bon... J'ai seulement besoin... de te parler de quelqu'un que j'ai rencontré, articula enfin Megan en s'essuyant les yeux. Quelqu'un à l'hôpital.

Dans le silence qui suivit, il parut que Gemma elle

aussi, de son côté, avait tenté de résoudre une énigme insoluble, d'assembler un puzzle dont elle découvrait soudain la pièce manquante.

– Comment il s'appelle ? demanda-t-elle, la voix douce.

Évidemment, elle savait qu'il s'agissait d'un garçon, sans avoir besoin qu'on le lui précise.

Le monde, alors, sembla se modifier – il avait connu un très long chaos à la suite de quelque affreux tremblement de terre ou d'une éruption volcanique, or voilà qu'il se remettait en place, tel qu'il devait être. Presque. Il ne serait jamais exactement le même. Comment serait-ce possible ? Mais, d'une certaine façon, c'était suffisant.

– Jackson, dit Megan, insufflant dans ce nom la promesse d'une longue, longue histoire. Il s'appelait Jackson Dawes.

Jackson Dawes, si grand qu'il passe pas les portes,
debout avec son drôle de vieux chapeau fatigué,
psalmodiant ses vieux chants meurtris,
claquant des doigts pour marquer le rythme
– on croit entendre la contrebasse.
Badoum, doum, doum, doum ; badoum, doum, doum, doum.
Ses hanches balancent doucement,
sa tête dodeline,
il a un grand sourire,
aussi généreux que le soleil,
à croire qu'on serait un autre jour,
à croire que le monde pourrait pas mieux se porter,
à croire l'avenir plus brillant que les étoiles.

Ce qui m'a inspirée pour écrire *À la vie, à la mort !*

Il est difficile de répondre à cette question. Quant à donner la date ou l'heure où me vint l'inspiration, j'en suis incapable. Je ne sais si j'étais assise dans un bus ou dans un train, ou si je regardais simplement par la fenêtre chez moi. J'ignore si j'ai vu une photo, un film, lu un livre, ou si je rêvassais au lieu de travailler. Une chose est certaine : je ne me trouvais pas dans un service d'enfants cancéreux et aucun éclair ne m'a subitement illuminée. Mon cerveau ne fonctionne pas de cette façon.

Ce que je puis dire, c'est que le roman est né d'une multitude d'histoires que je portais en moi, et qui voguaient sans tapage, dolentes. Pareille à un poisson mystérieux, celle-ci affleurait parfois à la surface puis replongeait dans les profondeurs. Peut-être ne l'aurais-je jamais empoignée et le roman n'aurait-il jamais été écrit si quelques personnes fort bien intentionnées ne m'avaient dit : *C'est l'histoire qu'il te faut. Oui, celle-là, une fille et un garçon qui se rencontrent à l'hôpital.*

Je sais gré à ces personnes, car elles avaient raison. Je connais les hôpitaux pour y avoir travaillé. Je connais les adolescents parce que j'en fus une autrefois et je me rappelle encore combien c'était difficile par moments. Je connais la maladie et à quel point elle peut affecter un individu. Et écrire sur ce que l'on connaît est généralement le meilleur point de départ.

Néanmoins, je ne voulais pas que l'histoire se réduise à deux adolescents confinés dans un service pédiatrique. Je ne pouvais me contenter d'écrire sur Megan et Jackson alors qu'ils avaient des mères, des pères, des amis qui tous étaient atteints par leur hospitalisation. Je ne pouvais me contenter de décrire ce qu'éprouvaient Megan et Jackson, malheureux parfois, sans aller plus avant et explorer les sentiments de leurs familles et amis, qui eux non plus n'étaient pas toujours au beau fixe.

Nous nous sentons tous largués par moments, tels des voyageurs échoués sur une île sans espoir d'en repartir. Parfois nous oublions qu'il y a des gens qui nous aiment, se soucient de nous et feront leur possible pour nous aider. Parfois nous oublions que nous sommes plus forts que nous ne le croyons. Je pense que Megan et Jackson étaient beaucoup plus forts qu'ils ne le croyaient.

Peut-être m'ont-ils inspirée.

Oui. Voilà sans doute la réponse.

Celia Bryce

Remerciements

Sincères remerciements à : Sam Smith, spécialiste des soins aux adolescents cancéreux (Christie NHS Foundation Trust, Manchester), qui a lu plusieurs passages du livre et m'a conseillée sur les protocoles de soins médicaux et infirmiers. Sandra Barlow, infirmière chef (Teenage Cancer Unit, Royal Victoria Infirmary, Newcastle), qui m'a fait visiter l'incroyable unité de Tyneside. Le docteur Kate Hodges, le docteur Steve Hodges et l'infirmier Paul Heslop, qui m'ont fourni divers renseignements sur l'hôpital. Mes chers compagnons de plume, Sonia Royal, Dorothy Brownlee et Michael Doolan, qui ont lu mon manuscrit avant de me donner leur avis critique et argumenté. Mes jeunes amies et parentes, Sarah Bradshaw, Amy Brown, Kate Hudson, Lucy Hudson et Kate Walmsley, qui prirent le temps, au fils des années qu'il m'a fallu pour écrire ce roman, de lire un ou plusieurs de mes nombreux brouillons et de me dire ce qu'elles pensaient de l'histoire. Les membres du Marsden Writers' Group, qui ont patiemment suivi chaque étape de cet étonnant voyage en écriture. Helen Corner et Kathryn Price, de Cornerstones Literary Consultancy, qui m'ont fait bénéficier de leurs excellents conseils rédactionnels quand le texte était encore très neuf et nécessitait de nombreuses réécritures. James Catchpole, de la Celia Catchpole Literary Agency, qui a eu suffisamment foi en l'histoire de Megan et de Jackson pour me prendre sous son aile et, dès lors, travailler sans relâche à me trouver un éditeur. Emma Matthewson et le personnel des éditions Bloomsbury qui ont œuvré avec moi durant les dix-huit derniers mois, ajustant et polissant mon manuscrit, jusqu'à le transformer en un livre dont je puisse être fière, faisant de moi un auteur heureux. Mon mari Colin, et mes filles, Lucy et Kate, qui m'ont soutenue sans faillir et qui, je le sais, partageront toujours mon rêve d'écriture. Pour finir, un merci particulier, du fond du cœur, aux familles de Deanna et de Vaila qui m'ont aimablement autorisée à leur dédier ce livre.

D'autres livres

Sherman ALEXIE, *Le premier qui pleure a perdu*
Vicky ALVEAR SCHECTER, *La Fille de Cléopâtre*
Jay ASHER, *Treize raisons*
Jannifer BROWN, *Hate List*
Judy BLUNDELL, *Double jeu*
Elizabeth CRAFT et Sarah FAIN, *Comme des sœurs*
Elizabeth CRAFT et Sarah FAIN, *Amies pour la vie*
Cath CROWLEY, *Graffiti Moon*
Claudine DESMARTEAU, *Troubles*
Sharon DOGAR, *Si tu m'entends*
Stephen EMOND, *Entre toi et moi*
Norma FOX MAZER, *Le Courage du papillon*
Gregory GALLOWAY, *La Disparition d'Anastasia Cayne*
Kristin HALBROOK, *Rien que nous*
Jenny HAN, *L'Été où je suis devenue jolie*
Jenny HAN, *L'Été où je t'ai retrouvé*
Jenny HAN, *L'Été devant nous*
Jenny HAN, *L'Été où je suis devenue jolie, L'Intégrale*
Mandy HUBBARD, *Prada & Préjugés*
Alice KUIPERS, *Deux filles sur le toit*
Alice KUIPERS, *Ne t'inquiète pas pour moi*
Abby MCDONALD, *Six semaines pour t'oublier*
Sarah MLYNOWSKI, *Parle-moi !*
Sarah MLYNOWSKI, *2 filles + 3 garçons – les parents = 10 choses que nous n'aurions pas dû faire*
Blake NELSON, *Addiction*
Jan Kenrik NIELSEN, *Automne*
Joyce Carol OATES, *Un endroit où se cacher*
Joyce Carol OATES, *Ce que j'ai oublié de te dire*
Yvonne PRINZ, *Princesse Vinyle*
William RICHTER, *Dark Eyes*
Meg ROSOFF, *Maintenant, c'est ma vie*
Meg ROSOFF, *La Balade de Pell Ridley*

Meg ROSOFF, *Au bout du voyage*
Rinsai ROSSETTI, *L'Envol*
Polly SHULMAN, *La fille qui voulait être Jane Austen*
Victoria STRAUSS, *Bleu passion*
Gabrielle ZEVIN, *Une vie ailleurs*
Gabrielle ZEVIN, *Je ne sais plus pourquoi je t'aime*
Gabrielle ZEVIN, *La Mafia du chocolat*
Gabrielle ZEVIN, *La Fille du parrain*

www.wiz.fr
Logo Wiz : Laurent Besson

Composition : IGS-CP
Impression : CPI Bussière en décembre 2014
Éditions Albin Michel
22, rue Huyghens, 75014 Paris

ISBN : 978-2-226-25874-8
ISSN : 1637-0236
N° d'édition : 20585/01 – N° d'impression : 2012903
Dépôt légal : janvier 2015
Loi n° 49-956 du 16 juillet 1949 sur les publications destinées à la jeunesse.
Imprimé en France